Hablemos 1

Curso de español - Spanish course

For absolute beginners

Ana Isabel Jiménez del Río

Acknoledgements

The author would like to thank the following people: Edith Pettigrew, Carol Clarke and Janet Green for trialling some of the materials, and for their helpful comments, and Edith and Carol for their help also with the proofreading and for their support and encouragement.

A catalogue record for this title is available from The British Library.

ISBN: 978-0- 9573078-0-3

Author: Ana Isabel Jiménez del Río

Original illustrations: iCLIPART. Com

CD recording by RC Audioloc

Main actors: Roberto Cuadrado y Araceli Lobato

Printed in Turkey

Order queries: please contact hablemos.org.

Introduction

After years of experience in teaching Spanish, I have had the opportunity to create my own course that I believe can help both students and teachers enjoy the learning process.

Hablemos 1 is the first part of a practical course using my simple but efficient method to help adults and young people learn Spanish. Starting from scratch, it covers Level A1 according to the Common European Framework of Reference for Languages (CEFR).

Based on the idea that learning a language comes through the need to interact in real situations, this method adopts a communicative approach. Each one of its 14 units focuses on a topic of daily life, and provides the essential vocabulary and grammatical support to build competence in using the language. A short summary at the beginning of each unit outlines the learning objectives for the topic. Graded exercises develop all four language skills of listening, reading, writing and speaking. The answers to the exercises are provided at the back of the book.

The content of the book is organised under the four main headings:

Gramática *Grammatical points* are explained in English as simply and clearly as possible.

Observa In order to help the student understand the structure of Spanish, the *use of language* is presented in a colourful and visually stimulating manner.

¿Sabes que...? Because learning Spanish also means learning about the culture, this *"Do you know"* section includes cultural notes that provide insight into life in Spanish-speaking countries.

Pronunciación This section helps you to achieve correct Spanish *pronunciation.*

At the end of each unit, there is a revision section called *¿Qué hemos aprendido?,* which consolidates the main points covered.

This course is complemented by a unique book of short stories, *Leamos 1,* which reinforces acquisition of the vocabulary and grammar presented in this textbook.

Due to the simplicity and clarity of the method, this course can be studied either at home or in a classroom.

I really hope you enjoy this course — ¡Hasta pronto, amigos!

Ana Isabel Jiménez del Río

Contenidos del libro – Contents of the book

	Lessons	Topics and vocabulary	Language focus
L1	Hola	1. Greetings and goodbyes 2. Introductions 3. Numbers: 1-20	1. Verb: "*llamarse*", "*estar*" 2. Personal pronouns: "*tú* (informal), *usted* (formal)"
L2	¡Qué pequeño mundo!	1. Countries and nationalities 2. Making friends: asking and giving name, nationality, place where you live, languages you speak	1. Masculine and feminine adjectives of nationality 2. Verbs: "*llamarse*", "*ser*", "*vivir*", "*hablar*"
L3	Su apellido, por favor	1. Spanish alphabet 2. Saying and spelling surname(s) 3. Numbers: 20-100	1. Verb: "*apellidarse*"
L4	En la oficina de empleo	1. Professions and occupations 2. Talking about occupations 3. Asking and giving personal information: profession, age, phone number, email address	1. Masculine and feminine of some professions 2. The ordinal numbers: 1st-10th 3. Verbs: "*trabajar*", "*tener*", "*estudiar*"
L5	Mi familia	1. Family members 2. Your marital status 3. Talking about the family	1. The present tense of regular and irregular verbs 2. The definite articles 3. The possessives
L6	En el restaurante	1. Food and drinks 2. Ordering food and drinks in a cafe and restaurant 3. Asking for the bill 4. Hispanic currencies	1. Verbs: "*desear*", "*querer*", "*beber*", "*comer*" 2. Indefinite articles
L7	Mi pueblo o ciudad	1. Cardinal points 2. Adjectives to describe a place 3. Describing your town or city 4. Expressing advantages and disadvantages	1. Adjectives: gender and number 2. Contrast between "*ser*" *and* "*estar*" 3. Verb "*hay*" *4. "Lo bueno"/"Lo malo"*

	Lessons	Topics and vocabulary	Language focus
L8	En el hotel	1. Vocabulary related to hotel 2. Booking into a hotel 3. Telling dates: days and months 4. Making complaints	1. Prepositions: *"para", "con", "sin"*
L9	¿Dónde está?	1. Places in a city 2. Asking for and giving directions 3. Locating places	1. Use of *"hay un/una...", "está el/la..."* 2. Adverbs of position
L10	¿Cómo eres?	1. Describing people: nouns and adjectives 2. Comparing people 3. Colours and clothes 4. Saying what people are wearing	1. Verbs: *"ser, tener, llevar"* 2. Comparatives of quality
L11	Mi casa	1. Parts of the house and furniture 2. Describing and comparing homes 3. Renting accommodation 4. Numbers: 100–1000	1. Interrogatives: *"cuánto/a/os/as"* 2. Comparatives of quantity
L12	En mi tiempo libre	1. Pastimes 2. Expressing likes and dislikes 3. Agreeing and disagreeing	1. Impersonal verbs: *"gustar" "interesar", "encantar"* 2. More verbs: *"practicar", "hablar" "leer", "escuchar", "tocar", "ir" "pasear", "salir", "ver", "jugar"*
L13	Cada día	1. Telling the time 2. Days of the week 3. Talking about daily routines 4. Expressing frequency	1. Reflexive verbs: *"levantarse", "ducharse", "acostarse"...* 2. Other regular and irregular verbs 3. Adverbs of sequence 4. Adverbs of frequency
L14	¿Cuál es tu signo?	1. Personality adjectives 2. The horoscope signs 3. Talking about birthdays 4. Describing and giving an opinion on someone's character	1. The masculine and feminine of other adjectives 2. Revision of dates 3. Verb: *"preferir"*

Hola

Saludos y despedidas
Presentaciones
Números: 1-20

Hello

Greetings and goodbyes
Introductions
Numbers: 1-20

Saludos y despedidas – greetings and goodbyes

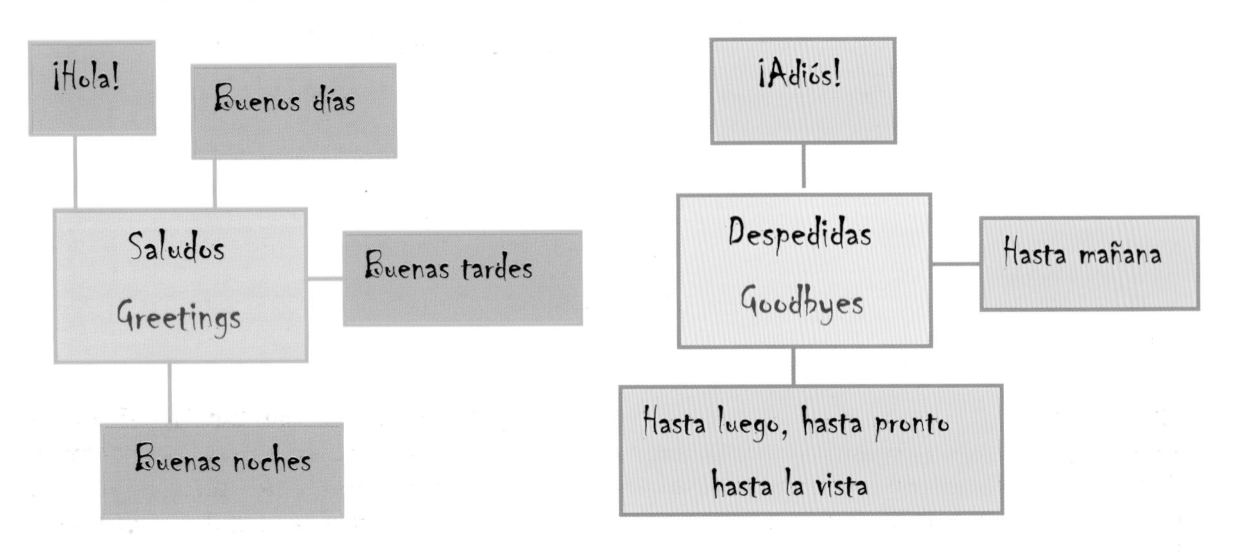

1. a. Escucha y repite. Listen and repeat.
   b. Escucha otra vez e identifica en qué orden aparecen. Listen again and identify in which order they appear.

☐ ¡Adiós! ☐ Buenas tardes [1] Buenos días ☐ ¡Hola!

☐ Hasta mañana ☐ Hasta la vista ☐ Hasta pronto

☐ Buenas noches ☐ Hasta luego

¿Sabes que...?

Chao – chau

Many Latino American countries, such as Uruguay, Paraguay, Bolivia, Peru, Colombia, and even Venezuela, use the word "chao" or "chau" to say "goodbye" in an informal context. This word comes from the Italian "ciao", an expression which is used not only to greet, but also to say "goodbye".

Observa

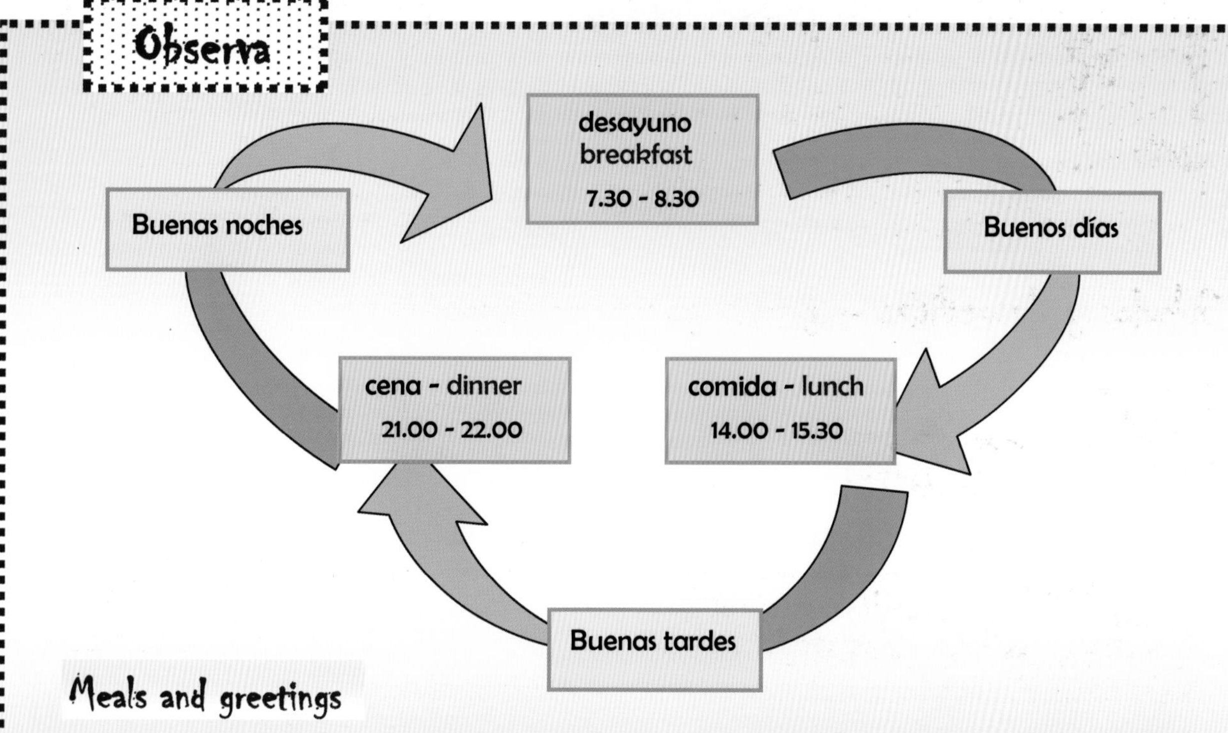

Meals and greetings

In Spain and Latin American countries, meals determine the greetings used during the day. Therefore, from the begining of the day until lunchtime, we say "buenos días", after lunch, we say "buenas tardes", and after dinner to the next morning, "buenas noches". Also notice that meals are usually served at a later time than in other countries, and "la comida" or "almuerzo" is the main meal of the day, often followed by "la siesta" or rest period after lunch.

2. Lee y escucha los siguientes diálogos. Read and listen to the following dialogues.

3. Lee, escucha y observa la diferencia con los diálogos anteriores. Read, listen and compare with the previous dialogues.

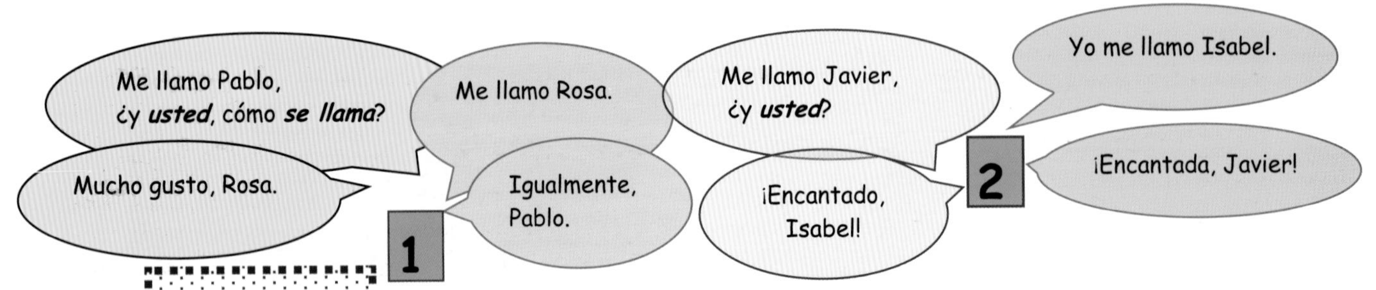

Observa

How we address each other

In Spanish there are two different ways of addressing people: one is informal and the other is formal. Observe that for the informal way of addressing people, we have to use the second person form of the verb, as well as the personal pronoun "tú"; whereas, for the formal, the third person form and the pronoun "usted" must be used.

	PARA PREGUNTAR - to ask	PARA RESPONDER - to answer
INFORMAL	*¿ Y tú, cómo te llamas?* Pronombre: tú * Verbo: te llamas (2ª persona) *	*(Yo) me llamo ...*
FORMAL	*¿ Y usted, cómo se llama?* Pronombre: usted * * Verbo: se llama (3ª persona) * *	

Gramática

PRONOMBRES PERSONALES	personal pronouns
yo	I
tú *	you (informal)
él, ella	he, she
usted * *	you (formal)

LLAMARSE - to be called		
yo	me	llam-o
tú	te	llam-as *
él, ella	se	llam-a
usted	se	llam- a * *

Observe that the verb "llamarse" is a reflexive verb that has a reflexive particle (me, te se...), between the personal pronoun and the verb. The reflexive particle cannot be omitted.

The translation for "¿cómo te llamas?" would be "what do you call yourself?" or "what are you called?" You can also ask "¿cuál es tu nombre?" which is the equivalent to "what is your name?" in English.

4. a. Escucha y completa los siguientes diálogos. Listen and complete the following dialogues.

b. Di si son formales o informales. Say whether they are formal or informal.

1

- ¡Hola!, me llamo Diego,
  ¿y usted, cómo _______________?
- _______________ Cristina.
- ¿Cómo está?
- _______________

2

- ¡Hola!, me llamo Paloma,
  ¿y _____ cómo te llamas?
- _______________ Javier.
- ¿Cómo estás?
- Bien, _______________

Observa

Introductions and greetings

FORMAL		INFORMAL	
A	B	A	B
¿Cómo está (usted)?	Bien, (gracias), ¿y usted?	¿Qué tal? ¿Cómo estás (tú)?	Bien, (gracias), ¿y tú?
¡Encantado/a! ¡Mucho gusto!	¡Igualmente!		

In formal introductions, it is appropriate to say "mucho gusto" to everyone, as well as "encantado/a", depending on the gender of the person speaking. Both expressions in English mean "pleased to meet you". Also, notice that for the greeting "how are you?" Spanish uses two different forms, "¿cómo está?", which is formal and "¿cómo estás?, which is more informal.

ESTAR - to be			
yo	I	estoy	am
tú	you (informal)	estás (I)	are
él, ella	he, she	está	is
usted	you (formal)	está (F)	are

See that, as before, the second person of the verb "estar" is used in informal (I) contexts, whereas the third person is appropriate for formal (F) situations.

¿Sabes que...?

Tú or usted?

In Spain the context and the speakers determine whether the form of address is formal or informal. Amongst family, friends and acquaintances, the pronoun "tú" is used; whereas, in a formal context, "usted" is more correct. However, there are no strict rules that define these uses, and, nowadays, it is a geographical rather than a social issue. Therefore, in the Iberian peninsula, "tú" is widely used, whereas in the Canary Islands and Latin America "usted" is more common than "tú".

5. **Completa los siguientes diálogos.** Complete the following dialogues.

1

- Hola, ____________ Sara, ¿y tú?
- Me llamo Pablo.
- ¿Qué tal?
- ________________

2

- _______, me llamo Ana, ¿y tú, cómo____________?
- Me llamo Raúl.
- ¿__________, Ana?
- Bien, ¿y tú?

3

- Hola, me llamo Julia, ¿y_____, cómo ________?
- Me llamo Tomás.
- Mucho gusto.
- ________________

4

- Hola, __________Raquel, ¿y tú, _______ te llamas?
- ______________ Alejandro.
- ¿Cómo estás, Alejandro?
- ___________________

5

- Hola, me llamo Francisco, ¿y _____, cómo_______?
- ______________ Carmen.
- ______________
- ¡Encantado!

6

- _____, _____________, ¿y _____, ____________?
- _________________________.
- __________________.
- Igualmente .

6. **Ahora preséntate a tu compañero, utilizando ambos registros, formal e informal.** Now, introduce yourself to your partner, formally and informally.

7. Observa las diferentes horas y escribe el saludo apropiado al lado de cada una. Look at the different times and write a suitable greeting next to each one.

A. 8.30 am: Buenos días

B. 4.30 pm: ______________________

C. 10.30 pm: ______________________

D. 5.10 pm: ______________________

E. 11.30 am: ______________________

F. 2.30 am: ______________________

8. a. Observa a las personas de las fotos y escribe la letra del correcto saludo en cada cuadro. Look at the people in the pictures and write the letter of the correct greeting in each box.

b. Responde al saludo. Answer the greeting.

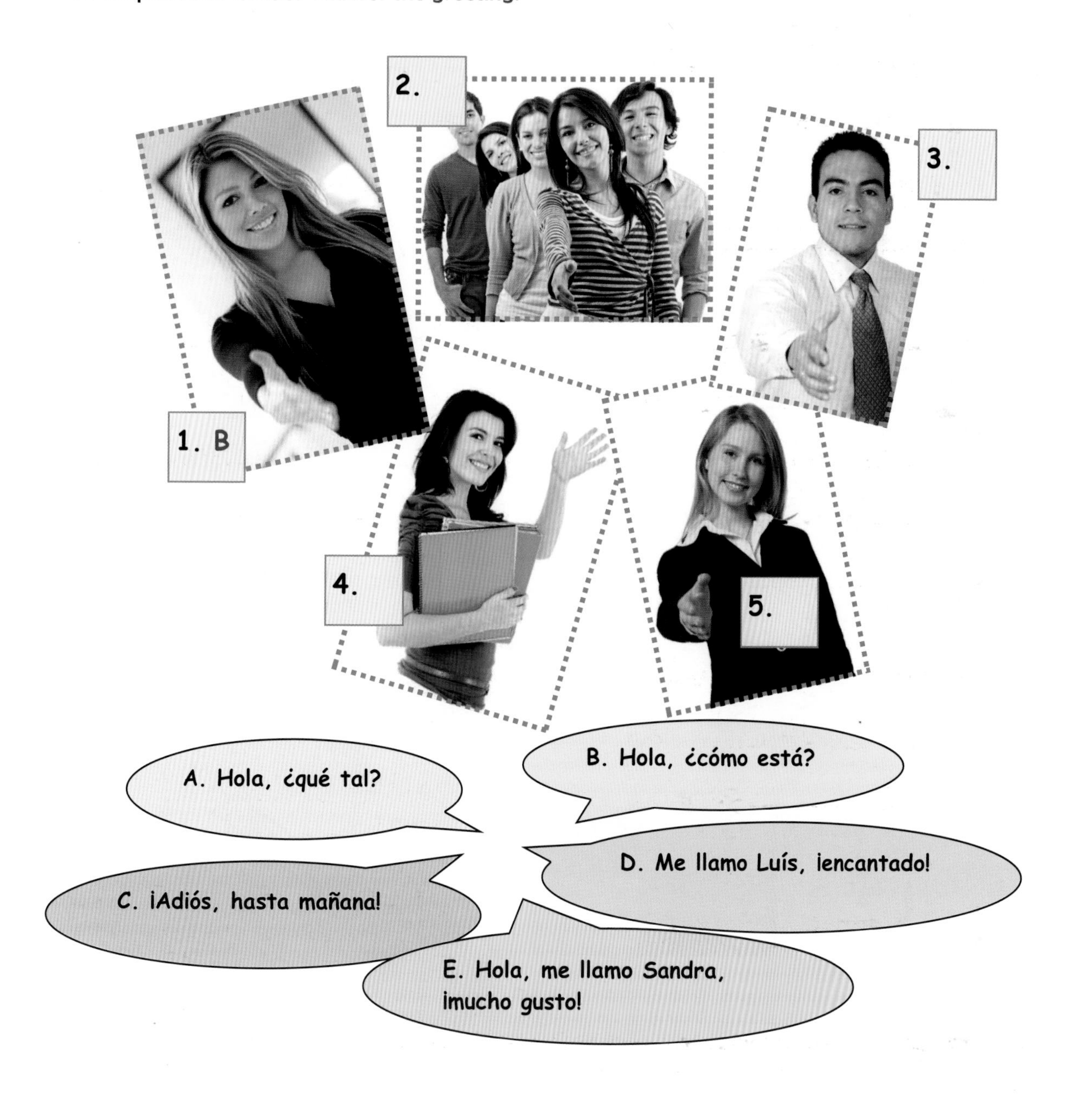

Números – numbers

9. Escucha y repite los números. Listen and repeat the numbers.

1	2	3	4	5	6	7	8	9	10
uno	dos	tres	cuatro	cinco	seis	siete	ocho	nueve	diez
11	12	13	14	15	16	17	18	19	20
once	doce	trece	catorce	quince	dieciséis	diecisiete	dieciocho	diecinueve	veinte

PAR – even

IMPAR – odd

10. Vuelve a escuchar atentamente los números y deduce el significado de las siguientes frases uniendo las dos columnas. Listen again carefully to the numbers and work out the meaning of the following sentences by matching the phrases in the two columns.

a. ¿Cómo se dice...?
b. Más alto, por favor.
c. Más despacio, por favor.
d. Otra vez, por favor.
e. ¿Qué significa...?

1. Louder, please.
2. What does it mean...?
3. How do you say...?
4. Slower, please.
5. Again, please.

11. Rellena el tablero de bingo con seis números, del 1 al 20, y marca el número que oigas. Complete the bingo card with six numbers from 1 to 20, and tick the number you hear.

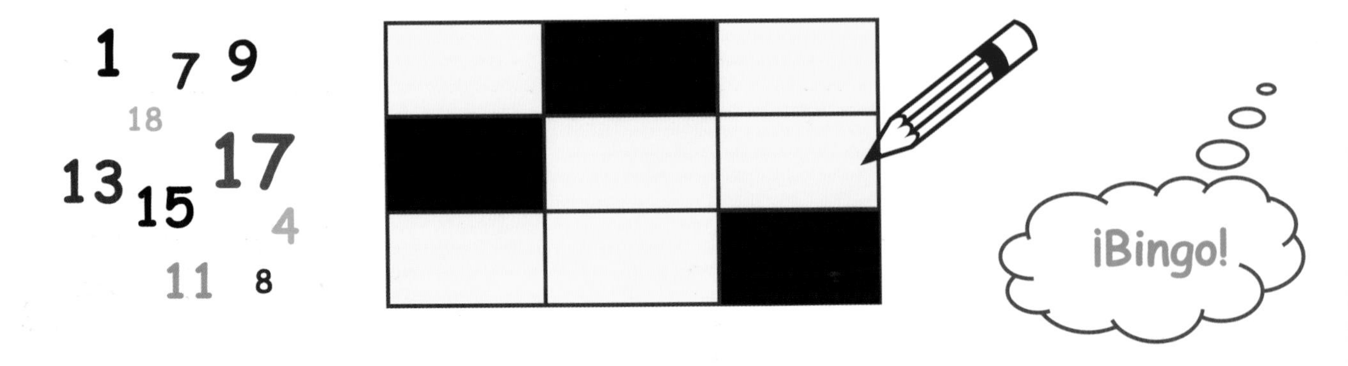

R 1 ¿Qué hemos aprendido? What have we learnt?

Contesta las siguientes preguntas. Answer the following questions.

1 ¿Qué saludo utilizamos en español entre la comida y la cena?

____ (1 p.)

2 ¿Qué palabra de origen italiano es utilizada en algunos países de Latinoamérica para decir "adiós"?

____ (1 p.)

3 ¿Qué pronombre personal empleamos en español, en vez de "tú", para referirnos formalmente a alguien?

____ (1 p.)

4 Escribe en cifras y letras los números pares del 10 al 20.

						(3 p.)
						(3 p.)

5 ¿Cómo se dice en español "again please"?

____ (1 p.)

¿ ? ?

Tu nota: ______ puntos

L2

Qué pequeño mundo — It's a small world

Países y nacionalidades
Hacer amigos: Intercambiar información personal

Countries and nationalities
Making friends: Exchanging personal information

Países del mundo – countries of the world

- Inglaterra
- Francia
- Estados Unidos
- Méjico
- Grecia
- Egipto
- Rusia
- Italia
- Chipre
- España
- Escocia
- Irlanda
- Alemania
- Marruecos
- Holanda
- Japón

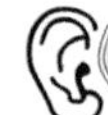

1. a. Escucha y repite los países. Listen and repeat the names of the countries.
   b. Asocia los países y las imágenes. Match the countries and the images.

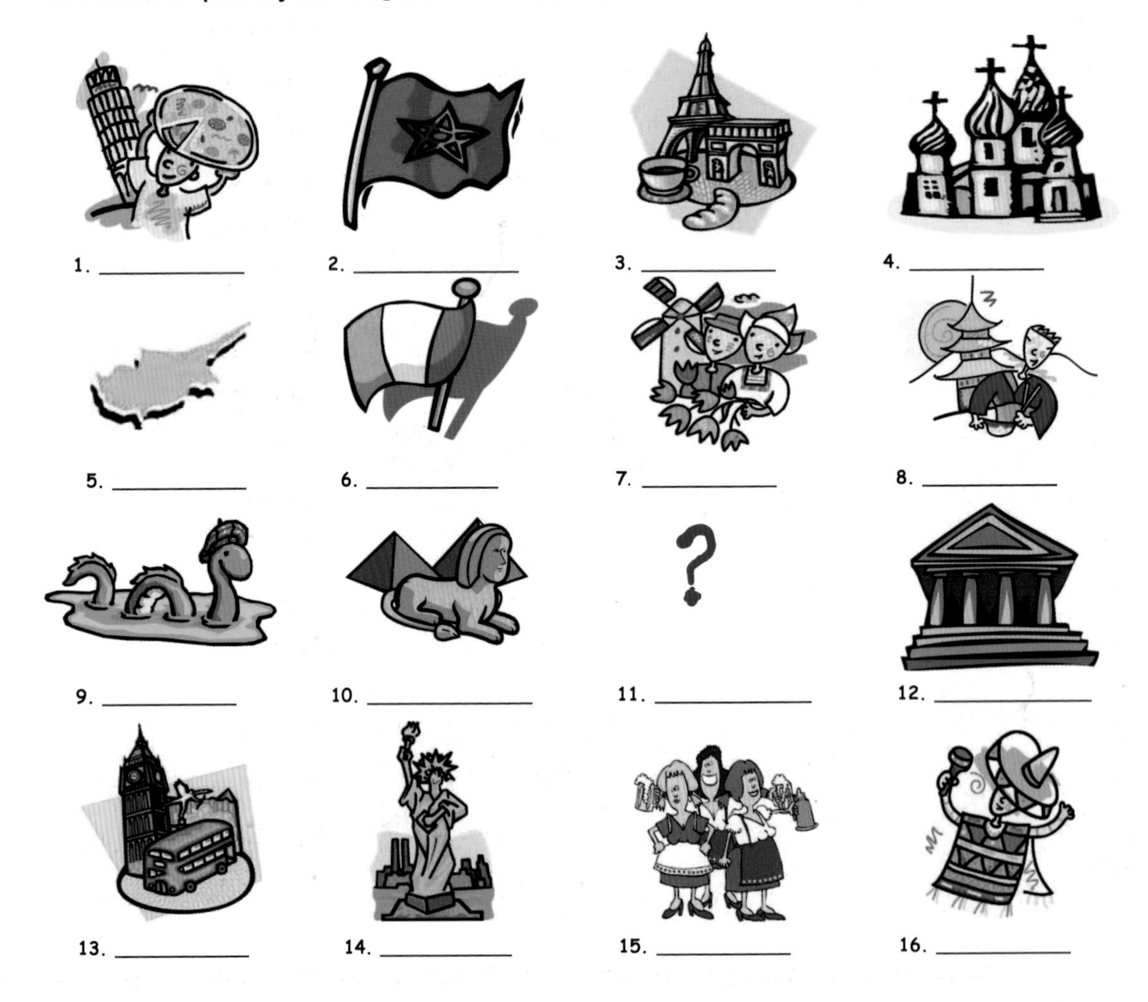

2. a. ¿Qué país no aparece representado? Which country has no picture?

2. b. ¿Cuál de estas imágenes utilizarías para representarlo? Which of these images below would you use to represent it?

?

3. Piensa en otra imagen para representar España. Think about another image to represent Spain.

4. Une los países y las nacionalidades de las dos columnas. Match the countries and the nationalities in the two columns.

Países – countries	Nacionalidades – nationalities	
	masculino	femenino
1. España	a. galés	galesa
2. Alemania	b. francés	francesa
3. Francia	c. irlandés	irlandesa
4. Japón	d. español	española
5. Escocia	e. inglés	inglesa
6. Gales	f. japonés	japonesa
7. Inglaterra	g. escocés	escocesa
8. Irlanda	h. alemán	alemana
9. Grecia	i. egipcio	egipcia
10. Egipto	j. italiano	italiana
11. Italia	K. ruso	rusa
12. Turquía	l. griego	griega
13. Méjico	m. mejicano	mejicana
14. Brasil	n. brasileño	brasileña
15. Rusia	o. turco	turca
16. Marruecos	P. chipriota	chipriota
17. Estados Unidos	q. israelí	israelí
18. Chipre	r. estadounidense	estadounidense
19. Israel	s. marroquí	marroquí

5. Si tu país y nacionalidad no aparecen en el cuadro de arriba, pregunta a tu profesor. If your country and nationality don't appear in the box above, ask your teacher about them.

Gramática

The adjectives of nationality and the name of languages

In Spanish the adjectives of nationality are masculine or feminine, according to the gender of the noun they refer to; however, watch out for the ones that don't change their endings.

MASCULINO ♂	FEMENINO ♀
Ending in - **consonante**: español	Add an - **a**: española
Ending in - **o**: ruso	Change to - **a**: rusa
Ending in - **e**: estadounidense - **i**: marroquí - **a**: chipriota	NO CHANGE - **e**: estadounidense - **i**: marroquí - **a**: chipriota

The names of languages are all masculine, and the same as the masculine adjectives of nationality. They also start with a small letter. "(Yo) soy español y hablo **español** y **ruso**".

6. Forma el femenino de los siguientes adjetivos y encuentra el país en la columna de la derecha.
   Form the feminine of the following adjectives and find the country in the column on the right.

Masculino	Femenino	Países
1. polaco	E.g. *polaca (c)*	Brasil (a)
2. nicaraguense	______________	Nicaragua (b)
3. costarricense	______________	Polonia (c)
4. brasileño	______________	Corea (d)
5. danés	______________	Gales (e)
6. belga	______________	Irán (f)
7. argentino	______________	Bélgica (g)
8. coreano	______________	Irak (h)
9. iraní	______________	Dinamarca (i)
10. galés	______________	Costa Rica (j)
11. iraquí	______________	Argentina (k)

7. Escucha y lee. Listen and read.

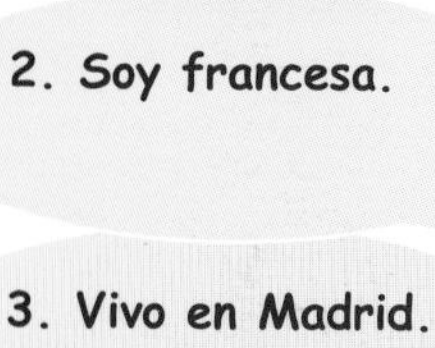

2. Soy francesa.

3. Vivo en Madrid.

4. Hablo francés y español.

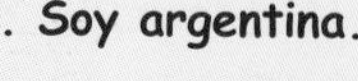

3

2. Soy argentina.

3. Vivo en Buenos Aires.

4. Hablo español.

8. Ahora, observa el siguiente cuadro. Now, look at the following table.

1. NOMBRE	Heidi	Anne	Sandra
2. NACIONALIDAD	alemana	francesa	argentina
3. LUGAR DE RESIDENCIA	Valencia	Madrid	Buenos Aires
4. LENGUAS	alemán y español	francés y español	español

9. Di si las siguientes frases son verdaderas o falsas. Say whether the following sentences are true or false.

	V.	F.
1. Anne es francesa, *pero* vive en Valencia.		
2. Sandra es española *y* vive en Buenos Aires.		
3. Heidi es alemana, *pero* vive en Valencia.		
4. Sandra habla español, *pero* no habla francés.		

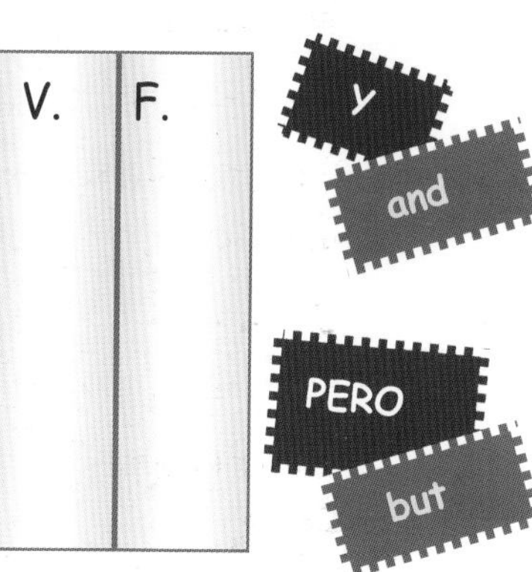

10. a. Completa las siguientes viñetas con tus datos personales utilizando frases como las anteriores.
Complete the bubbles below with your own information, using phrases on the previous page.

E.g. Me llamo ____________________

____

____

____

b. Ahora completa el cuadro. Now complete the table.

NOMBRE: ____________________
NACIONALIDAD: ____________________
LUGAR DE RESIDENCIA: ____________________
LENGUAS: ____________________

11. a. Escucha y lee la siguiente conversación. Listen to and read the following conversation.

En una fiesta – at a party

James: ¡Hola!, me llamo James, ¿y tú **cómo te llamas**?
Ana: ¡Hola!, **me llamo** Ana.
James: **¿De dónde eres,** Ana?
Ana: **Soy** española, de Madrid, ¿y tú, **de dónde eres?**
James: **Soy** inglés, de Manchester.
Ana: Hablas muy bien español, **¿qué lenguas hablas?**
James: **Hablo** inglés y español, ¿y tú?
Ana: Yo **hablo** solamente español, **¿dónde vives?**
James: **Vivo** en Salamanca, ¿y tú?
Ana: Yo **vivo** en Salamanca también.
James: ¡Hasta la vista!
Ana ¡Hasta luego!

11. b. Vuelve a leer el texto y completa las siguientes frases. Read the text again and complete the following sentences.

1. James es ______________________________, de Manchester.
2. Ana es española, de ______________________________
3. Ana vive en ______________; James vive en ______________
4. James habla __________ y __________; Ana habla __________

12. Encuentra una respuesta a cada pregunta. Find an answer to each question.

Preguntas – questions	**Respuestas – answers**
1. ¿Cómo te llamas? → B	A. Vivo en Río de Janeiro.
2. ¿Qué lenguas hablas?	B. Me llamo Paulo.
3. ¿Dónde vives?	C. Soy brasileño, de Brasilia.
4. ¿De dónde eres?	D. Hablo portugués y español.

13. Traduce al español las siguientes preguntas y respuestas. Translate into Spanish the next questions and answers.

1- Where are you from? ______________

2- Where do you live? ______________

3- What is your name? ______________

4- What languages do you speak? ______________

____

A- I am Spanish: ______________

B- I live in Barcelona: ______________

C- My name is Pedro: ______________

D- I speak Spanish: ______________

____

Observa

Asking and giving personal information

	PARA PREGUNTAR - to ask	PARA RESPONDER - to answer
NOMBRE	¿Cómo te llamas? ¿Cuál es tu nombre?	(Yo) me llamo ...
NACIONALIDAD	¿De dónde eres?	(Yo) soy ... (nacionalidad) (Yo) soy de ... (país)
LENGUAS	¿Qué lenguas hablas?	(Yo) hablo ...
RESIDENCIA	¿Dónde vives?	(Yo) vivo en ...

Remember that in informal contexts, such as a party, it is appropriate to use the second person form of the verb.

14. Escucha a tres personas en una fiesta y completa el cuadro. Listen to three people at a party and complete the table.

	NOMBRE	NACIONALIDAD	CIUDAD	LENGUAS
1				
2				
3				

15. Completa el siguiente cuadro con la información de las frases 1-7. Complete the table below with the information from the sentences 1-7.

NOMBRE	NACIONALIDAD	CIUDAD	OTRAS LENGUAS

1. La española vive en Madrid.
2. El colombiano habla inglés y alemán.
3. Miguel no es colombiano.
4. Miguel habla francés.
5. Juan vive en Vigo.
6. El peruano vive en Murcia.
7. Laura habla ruso y griego.

Verbs

SER		to be	
yo	soy	I	am
tú	eres	you	are
él, ella	es	he, she	is
usted	es	you (formal)	are

VIVIR		to live	
yo	viv-o	I	live
tú	viv-es	you	live
él, ella	viv-e	he, she	lives
usted	viv-e	you (formal)	live

HABLAR		to speak	
yo	habl-o	I	speak
tú	habl-as	you	speak
él, ella	habl-a	he, she	speaks
usted	habl-a	you (formal)	speak

16. a. Invéntate una nueva identidad (nombre, nacionalidad, lugar de residencia y lenguas que hablas). Imagina que estás en una fiesta internacional, pregunta a tu compañero/a en español su nuevo nombre, nacionalidad, lugar de residencia y las lenguas que habla. Invent a new identity for yourself (name, nationality, place where you live and languages you speak). Imagine you are at an international party, ask your partner in Spanish his/her new name, nationality, place where he/she lives and languages he/she speaks.

   b. Ahora escribe cuatro frases acerca de él o ella. Now write four sentences about him or her.

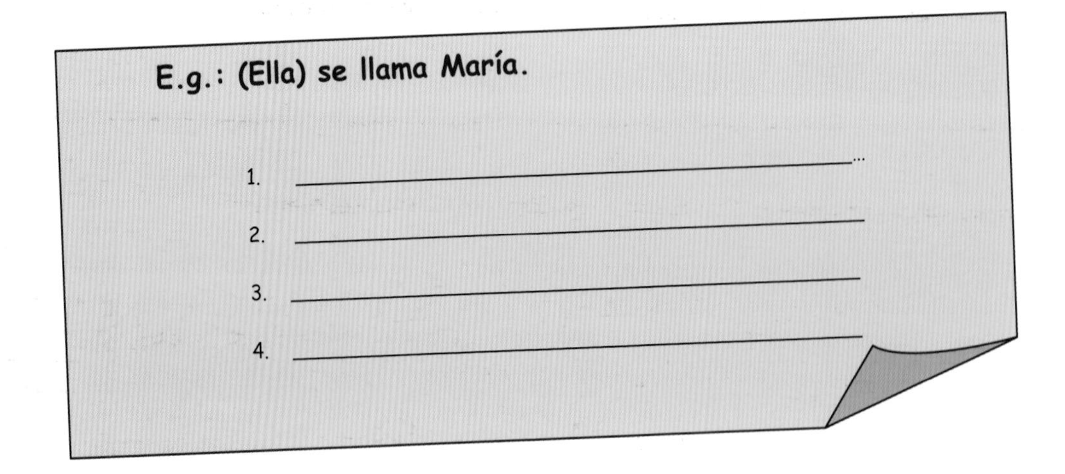

R 2

¿Qué hemos aprendido? What have we learnt?

Contesta las siguientes preguntas. Answer the following questions.

1 Completa el siguiente cuadro con el femenino de los siguientes adjetivos de nacionalidad, el país y la lengua correspondiente.

adjetivo - masculino	adjetivo - femenino	país	lengua(s)
chino			
canadiense			
japonés			
italiano			
francés			
nicaragüense			
alemán			
chipriota			
ruso			
	(2 p.)	(2 p.)	(2 p.)

2 ¿Cómo se dice en español "what is your name?" en un contexto informal?

a. ______________________ b ______________________ (2 p.)

3 Marca los nombres españoles. Dos de ellos significan algo más, ¿cuáles son? (2 p.)

Andreas Louise Teresa
Manuel Luca Dolores
Antonis Socorro Javier
Anne Carmen Stefania

Tu nota: ______ puntos

L3

Su apellido, por favor

Alfabeto español
Decir y deletrear apellido(s)
Más números: 20 - 100

Your surname, please

Spanish alphabet
Saying and spelling surname(s)
More numbers: 20 - 100

El alfabeto español – the Spanish alphabet

1. a. Escucha y repite las letras del alfabeto español. Listen and repeat the letters of the Spanish alphabet.

   b. Ahora escucha y tacha la letra del cuadro que oigas. Now, listen and cross out the letter in the box that you hear.

2. a. Escucha y lee los siguientes nombres y apellidos españoles. Listen and read the following Spanish first names and surnames.

Pronunciación

b/v: Beatriz, Vázquez
c/Qu/k: Carmen, Quintero, Iñaki
h: Hernando, Hernández
ch: Chaves, Charo
g/gu: González, Guerra
ll/y: Llamazares, Yolanda
g/j: Gerardo, Javier
c/z: Cecilia, Zurbarán, Zúñiga
rr/r: Rosario, María
ñ: Núñez

   b. Vamos a deletrearte tres de ellos. Escríbelos en los siguientes cuadros. We are going to spell three of them. Write them in the following boxes.

1. _ _ _ _ _ _ _ _

2. _ _ _ _ _ _ _ _

3. _ _ _ _ _ _ _ _

   c. Ahora comprueba en el cuadro de arriba si los has escrito correctamente. Now check in the box above if you have written them correctly.

The Spanish alphabet

The Spanish alphabet currently has 27 letters; two less than before the last "Reforma de la Real Academía Española" of 2010. Therefore, the "ch" and the "ll", previously included, are omitted from the alphabet and are shown as two separate letters. Another amendment refers to the letter "y", whose name is being changed from "i griega" to "ye".

Números – numbers

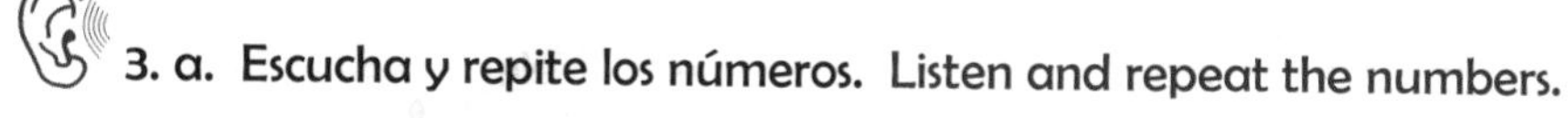

3. a. Escucha y repite los números. Listen and repeat the numbers.

20	30	40	50	60	70	80	90	100
veinte	treinta	cuarenta	cincuenta	sesenta	setenta	ochenta	noventa	cien

b. Escucha e identifica los números. Listen and look at the numbers.

21 veintiuno			
31 treinta y uno	32 treinta y dos		
41 cuarenta y uno	42 cuarenta y dos	43 cuarenta y tres	
51 cincuenta y uno	52 cincuenta y dos	53 cincuenta y tres	54 cincuenta y cuatro
61 sesenta y uno	62 sesenta y dos	63 sesenta y tres	64 sesenta y cuatro
71 setenta y uno	72 setenta y dos	73 setenta y tres	
81 ochenta y uno	82 ochenta y dos		
91 noventa y uno			

4. Completa los cuadros con los números de carnet de identidad que vas a escuchar. Complete the boxes with the identity card numbers that you are going to hear.

DNI: __ __ __ __ B

DNI: __ __ __ __ V

5. a. **Escucha y completa el siguiente diálogo en la recepción de un hotel.** Listen and complete the following dialogue in a hotel reception.

b. **Ayuda a la recepcionista a rellenar la ficha del cliente.** Help the receptionist to fill in the guest's form.

Nombre: ___________________________
Primer apellido: ___________________________
Segundo apellido: ___________________________
Número de DNI: ___________________________

Observa

What is your surname?

PARA PREGUNTAR - to ask	PARA RESPONDER - to answer
¿Cómo se apellida? / ¿Cuál es su apellido?	Me apellido ... (primer apellido)
¿De segundo?	De segundo, ... (segundo apellido)

6. **Une las frases de las dos columnas.** Match the sentences in the two columns.

ESPAÑOL	INGLÉS
► 1. ¿Cómo se escribe?	► a. Many thanks.
► 2. ¿Cómo?, ¿puede repetir, por favor?	► b. How is it spelled?
► 3. ¿Cómo se apellida?	► c. You are welcome.
► 4. Muchas gracias.	► d. What?, can you repeat it, please?
► 5. De nada.	► e. What is your surname?

7. **Lee los siguientes fragmentos del diálogo y di cuáles de ellos son correctos.** Read the following pieces of dialogue and find which ones are correct.

A. - ¿Cómo se llama?
• Me llamo María.

B. - ¿Cómo?, ¿puede repetir, por favor?
• Sí, P-e-r-e-z.

C. - ¿Cómo se escribe?
• P-e-r-e-z.

D. - ¿y cómo se apellida?
• De nada.

E. - Muchas gracias
• Me apellido Pérez.

8. **Ahora corrige los fragmentos incorrectos y reconstruye todo el diálogo en su correcto orden.** Now correct the wrong answers and rewrite the whole dialogue in the right order.

1. ¿Cómo se llama?

____

2. _______________

____

3. _______________

____

4. _______________

____

5. _______________

De nada.

9. a. Completa el siguiente diálogo. Complete the following dialogue.

Recepcionista:	Hola, buenos días, ¿cómo se llama?
Cliente:	____________________ Javier.
Recepcionista:	¿_____________se apellida?
Cliente:	____________________ Gómez, Ezquerra.
Recepcionista:	Ah, ¿y cómo ________________________?
Cliente:	E-z-q-u-e-r-r-a.
Recepcionista:	¿_________?, ¿______________________, por favor?
Cliente:	Sí, E-z-q-u-e-r-r-a.
Recepcionista:	¿y su _______________ de DNI?
Cliente:	16 56 78 99 W.
Recepcionista:	Muchas gracias.
Cliente:	___________

b. Lee el diálogo otra vez. ¿Es formal o informal? ¿Por qué? Read the dialogue again. Is it formal or informal? Why?

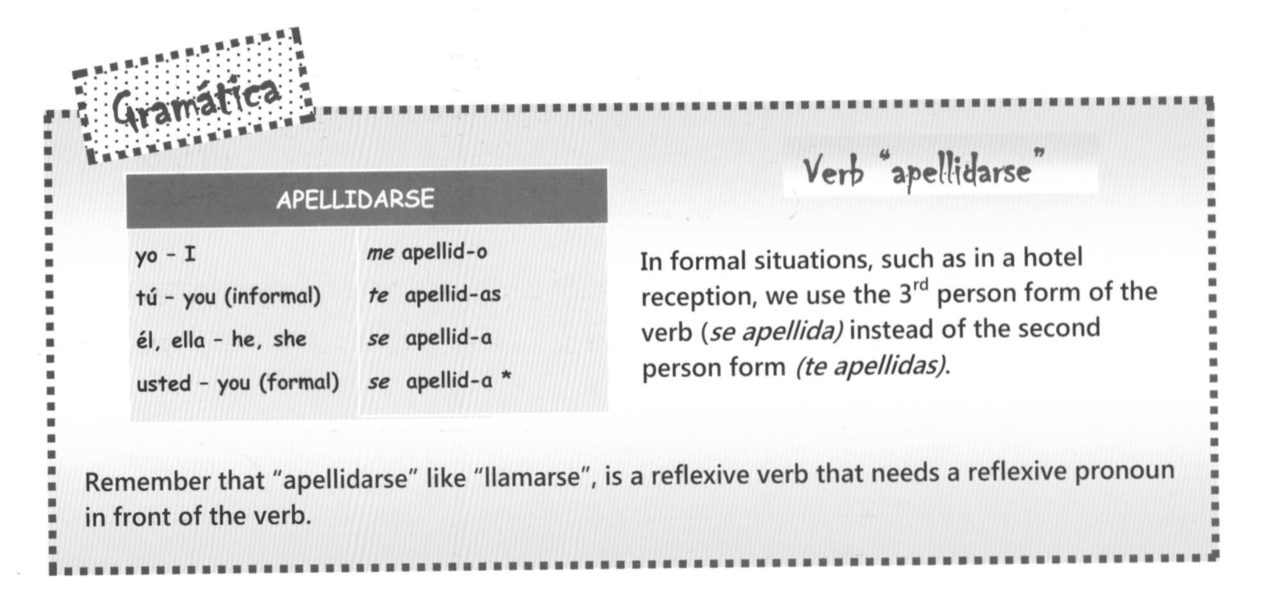

Gramática

APELLIDARSE	
yo - I	*me* apellid-o
tú - you (informal)	*te* apellid-as
él, ella - he, she	*se* apellid-a
usted - you (formal)	*se* apellid-a *

Verb "apellidarse"

In formal situations, such as in a hotel reception, we use the 3rd person form of the verb (*se apellida)* instead of the second person form *(te apellidas).*

Remember that "apellidarse" like "llamarse", is a reflexive verb that needs a reflexive pronoun in front of the verb.

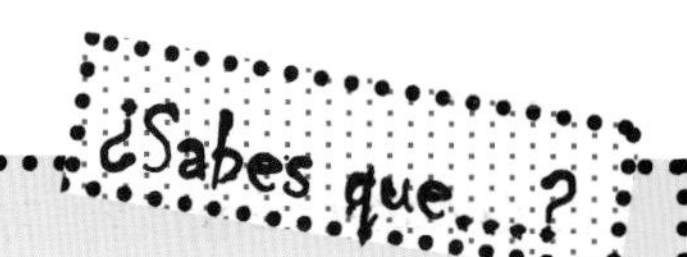

Two surnames

Hispanic people are given a first name followed by two surnames. Usually, the first surname comes from the father and the second surname comes from the mother. For example:

Manuel **García** Sánchez — ∞ — María **Pérez** Hernández

Juana **García Pérez**

Also, unlike in other countries, Spanish women on getting married don't change their legal surnames. Some Latin American women, however, may drop their mother's surname, and take their husband's after their first surname, using the *"de"* (of) in front of it. For example, following the above example, the wife of Manuel García could be addressed as "María Pérez **de García**" or señora **de García**".

10. Escucha a tres clientes en un hotel y completa el cuadro con los datos de cada uno. Listen to three guests in a hotel and complete the grid with the information about each one.

	NOMBRE	APELLIDO (S)	NÚMERO de DNI/ Pasaporte
1.			
2.			
3.			

DNI Documento National de Identidad

All Spanish people have an identity document, called a DNI or "carnet de identidad", and most Latin American people have "la cédula de identidad o ciudadanía". These are cards with digitally embedded information, which should be carried as a means of confirming identity.

11. **Eres el recepcionista de un hotel. Escribe las preguntas que has hecho a Santiago para completar su ficha.** You are the receptionist in a hotel. Write down the questions that you asked Santiago in order to complete his form.

12. **En parejas. A (recepcionista): completa la tarjeta con la información de tu pareja; B (cliente): responde las preguntas de tu compañero.** In pairs. A (receptionist): complete the card with your partner's information; B (client): answer your partner's questions.

NOMBRE: ______________________

APELLIDO(S): ______________________

DNI: ______________________

R 3 ¿Qué hemos aprendido? What have we learnt?

Contesta las siguientes preguntas. Answer the following questions.

1 ¿Qué letra española no existe en el alfabeto inglés?

____ (1 p.)

2 ¿Cómo se dice en español "what is your surname?" en un contexto formal?

____ (1 p.)

3 Escribe los dos apellidos de Javier, el hijo de Ramón García Jiménez y Beatriz Velasco Gutiérrez?

Javier [ ] [ ] (2 p.)

4 Escribe los siguientes números.

21: _______________________ (1 p.)

27: _______________________ (1 p.)

67: _______________________ (1 p.)

76: _______________________ (1 p.)

34: _______________________ (1 p.)

100: _______________________ (1 p.)

Tu nota: _______ puntos

En la oficina de empleo

Profesiones y ocupaciones
Pedir y dar información personal: profesión, edad, n° de teléfono, dirección de correo electrónico

At the job centre

Professions and occupations
Asking and giving personal information: profession, age, phone number and email address

Profesiones y ocupaciones – professions and occupations

1. a. Estas son algunas profesiones. ¿Ves su parecido en inglés? These are some professions. Can you see they have a similar form in English?

   b. ¿Conoces el nombre en español de otras profesiones o ocupaciones, similares o no en inglés? Escríbelos. Do you know the names of other professions or occupations, similar or not in English? Write them down.

Más profesiones y ocupaciones – more professions and occupations

- agricultor(a)
- jardinero/a
- albañil
- cocinero/a
- fontanero/a
- pintor(a)
- maestro/a
- cartero/a
- químico/a
- veterinario/a
- camarero/a
- médico/a

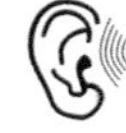

2\. a. **Escucha y repite.** Listen and repeat.

b. **Asocia las profesiones y ocupaciones con las imágenes.** Match the professions and occupations with the images.

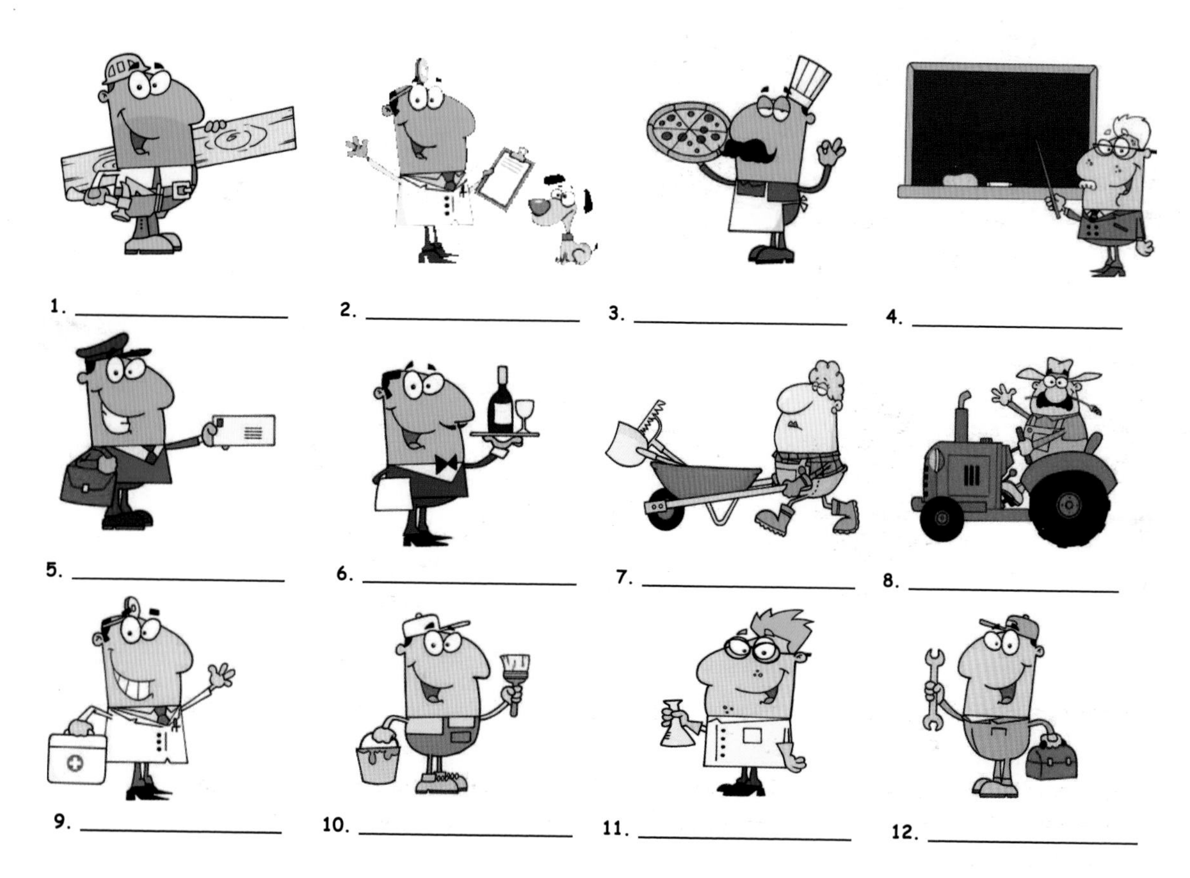

1. ____________ 2. ____________ 3. ____________ 4. ____________

5. ____________ 6. ____________ 7. ____________ 8. ____________

9. ____________ 10. ____________ 11. ____________ 12. ____________

¿Sabes que...?

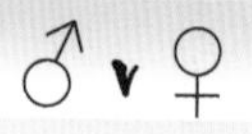

In the past, professions or other high status positions did not have an equivalent form for the feminine, for instance, juez (judge) was used for both genders. However, due to social changes, and the fact that these posts are also held by women, the feminine form of these professions is now used: "el juez/la jueza", "el ministro/la ministra".

There are also some occupations and jobs with a different form for the masculine and feminine, such as "el actor/la actriz".

Pronunciación

3. **Observa las siguientes sílabas. Escucha como suenan y repite.** Look at the syllables below. Listen to how they sound and repeat.

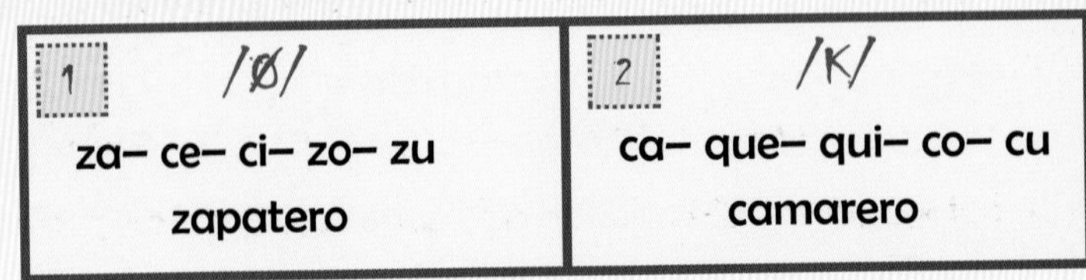

1 /θ/	2 /K/
za– ce– ci– zo– zu	ca– que– qui– co– cu
zapatero	camarero

4. a. **Escucha las siguientes ocupaciones y escribe en los cuadros los números 1 ó 2 según el sonido que contengan y siguiendo el ejemplo de arriba. Algunas pueden contener ambos.** Listen to the occupations below and write the numbers 1 or 2 in the boxes, according to the sounds they contain and following the example above. Some of them can contain both sounds.

Masculino ♂		Femenino ♀
zapatero	1	zapatera
camarero	2	camarera
cocinero		cocinera
carnicero		carnicera
decorador		decoradora
cantante		cantante
oficinista		oficinista
contable		contable

b. **Ahora observa sus terminaciones y correspondiente género.** Now look at their endings and their corresponding gender.

The gender of professions & occupations

MASCULINO ♂	FEMENINO ♀
Ending in – **o**: camarero, cocinero	Change to – **a**: camarera, cocinera
Ending in – **or**, – **in**: decorador, bailarín	Add an – **a**: decoradora, bailarína
Ending in – **ante**: cantante – **ista**: dentista, oficinista – **able**: contable	NO CHANGE – **ante**: cantante – **ista**: dentista, oficinista – **able**: contable

¿Sabes que...?

SEPE Servicio Público de Empleo Estatal

In Spain "la oficina de empleo" is also called SEPE (Servicio Público de Empleo Estatal) and it is the place where the unemployed in Spain can look for work, training courses and sign on for benefits. In some cases these offices are still referred to as INEM (Instituto Nacional de Empleo), their name before 2003.

5. Escucha y completa el diálogo en el SEPE. Listen and complete the dialogue at the job centre.

En el SEPE – at the job centre

¡Hola, buenos días!

¡Hola, buenos días!

¿Cómo se llama?

Me llamo ______________

¿Y cómo se apellida?

Me apellido __________ Carrasco

¿Cuál es su profesión?

Soy __________ industrial.

¿Qué edad tiene?

Tengo _________ años.

¿De dónde es?

Soy ____________, de Buenos Aires.

¿Qué lenguas habla?

Hablo __________ y y francés.

¿Dónde vive?, ¿cuál es su dirección?

Vivo en Madrid, en la avda. del Sol, ___ 1º dcha.

¿Su número de teléfono, por favor?

Sí, es (el) ____________

¿Y su correo electrónico?

Abel007@rapido.es

6. Ahora escucha otros dos diálogos y completa las fichas. Now listen to two other dialogues and complete the forms.

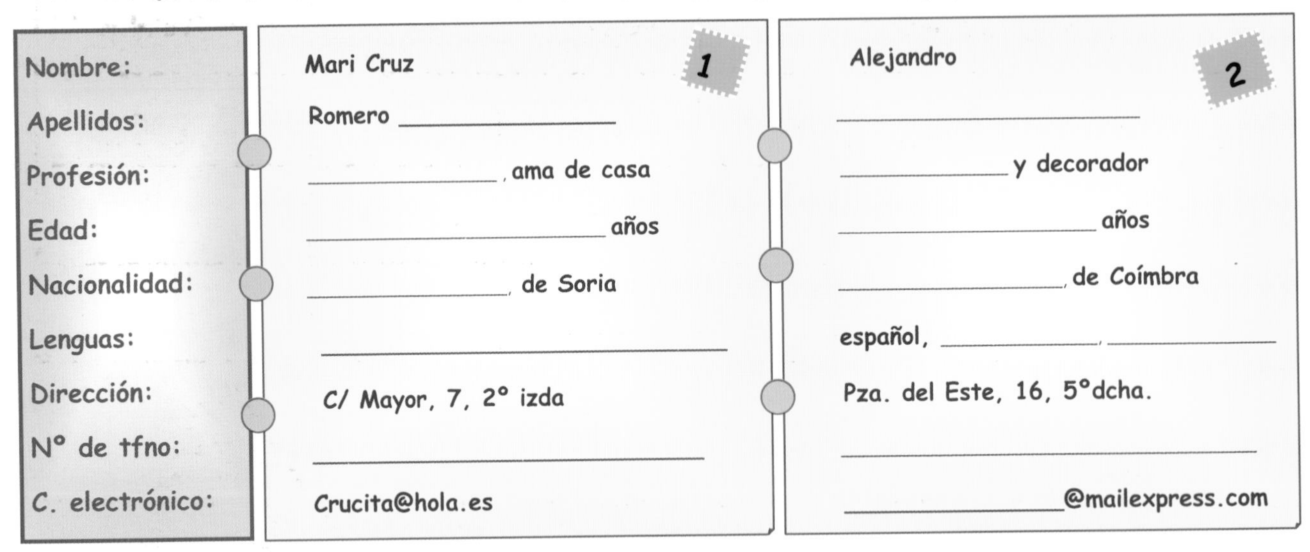

	1	2
Nombre:	Mari Cruz	Alejandro
Apellidos:	Romero ______	______
Profesión:	______, ama de casa	______ y decorador
Edad:	______ años	______ años
Nacionalidad:	______, de Soria	______, de Coímbra
Lenguas:	______	español, ______, ______
Dirección:	C/ Mayor, 7, 2° izda	Pza. del Este, 16, 5°dcha.
N° de tfno:	______	______
C. electrónico:	Crucita@hola.es	______@mailexpress.com

7. Mira las direcciones de las fichas de arriba. ¿Sabes lo que significan "c/" y "pza."? Encuentra sus equivalentes en inglés. Look at the addresses in the forms above. Do you know what "c/" and "pza." mean? Find their English equivalents.

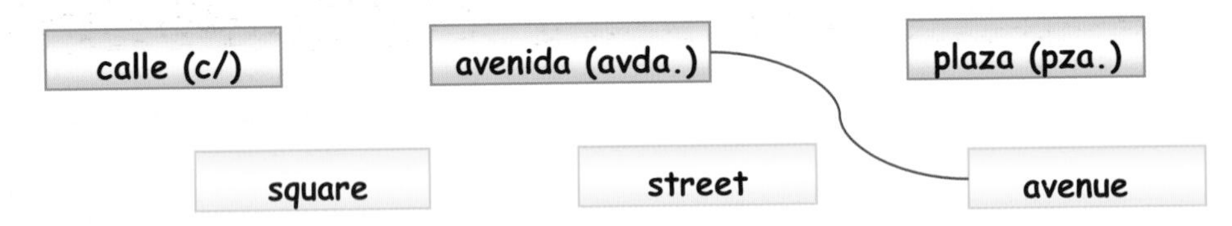

8. a. Observa como se escriben los números ordinales en español y conecta las dos columnas. Look at how the ordinal numbers are written in Spanish and link the two columns.

b. Ahora escucha y comprueba. Now, listen and check.

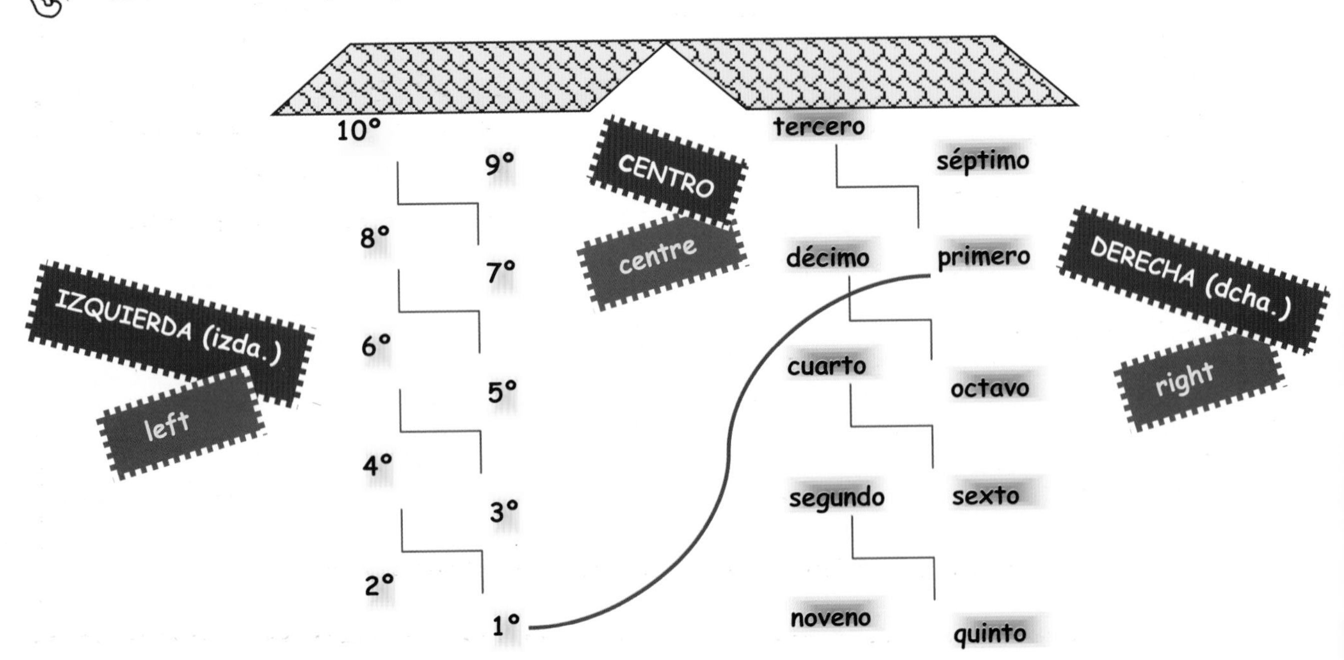

9. **Escucha y completa el siguiente cuadro.** Listen and complete the following table.

	Dirección (c/, avda., pza.)	número	piso	código Postal (C.P.)
1	______________ de la Gran Vía,	56	______ C.	______________
2	______________ Laurel,	__________	2° _____	______________
3	______________ del Espolón,	__________	__________	

Observa

Asking and giving personal information

	PARA PREGUNTAR - to ask		PARA RESPONDER - to answer
INFORMAL	¿Dónde **vives**? *		* **Vivo en**... la calle... / la plaza... / la avenida ...
	¿Cuál es **tu**... / ¿**Tu**...	... dirección? * / ... (número de) teléfono? / ... (dirección de) correo electrónico?	**Mi** dirección **es** ... calle/ plaza/avenida * / número de teléfono **es (el)** ... / (dirección de) correo electrónico **es**...
FORMAL	¿Dónde **vive**? *		
	¿Cuál es **su**... / ¿**Su**...	... dirección? * / ... (número de) teléfono? / ... (dirección de) correo electrónico?	

Notice that to ask the address, we can also use the question "¿dónde vive(s)?"

10. Escucha y une preguntas y respuestas. Listen and match questions and answers.

1. ¿Qué haces, estudias o trabajas?
2. ¿En qué trabajas (tú)?
3. ¿A qué te dedicas (tú)?
4. ¿Cuál es tu profesión?
5. ¿Qué haces (tú)?

a. Soy enfermera, pero estoy jubilada.
b. Trabajo como recepcionista.
c. Estudio historia en la universidad.
d. Soy ama de casa.
e. No trabajo, estoy en paro.

Observa

Talking about professions & occupations

	PARA PREGUNTAR - to ask	PARA RESPONDER - to answer
INFORMAL	¿Cuál es **tu** profesión? ¿A qué **te dedicas** (tú)? ¿En qué **trabajas** (tú)? ¿Qué **haces** (tú)?	**Soy** ... ~~un/una~~ { enfermero/a. / estudiante. / ama de casa. **Trabajo como/de** ...
FORMAL	¿Cuál es **su** profesión? ¿A qué **se dedica** (usted)? ¿En qué **trabaja** (usted)? ¿Qué **hace** (usted)?	**Estudio** ... medicina/ historia ... **Estoy en paro.** I am unemployed. **Soy o estoy jubilado/a.** I am retired.

Spanish does not use the indefinite article "UN/UNA" in front of the occupation.

11. Escucha y une las preguntas y respuestas de las dos columnas. Listen and match the questions and answers in the two columns:

1. ¿Cuántos años tienes (tú)?	a. Tengo 68 años.
2. ¿Qué edad tienes (tú)?	b. Tengo 51 años.
3. ¿Cuántos años tiene (usted)?	c. Tengo 25 años.
4. ¿Qué edad tiene (usted)?	d. Tengo 29 años.

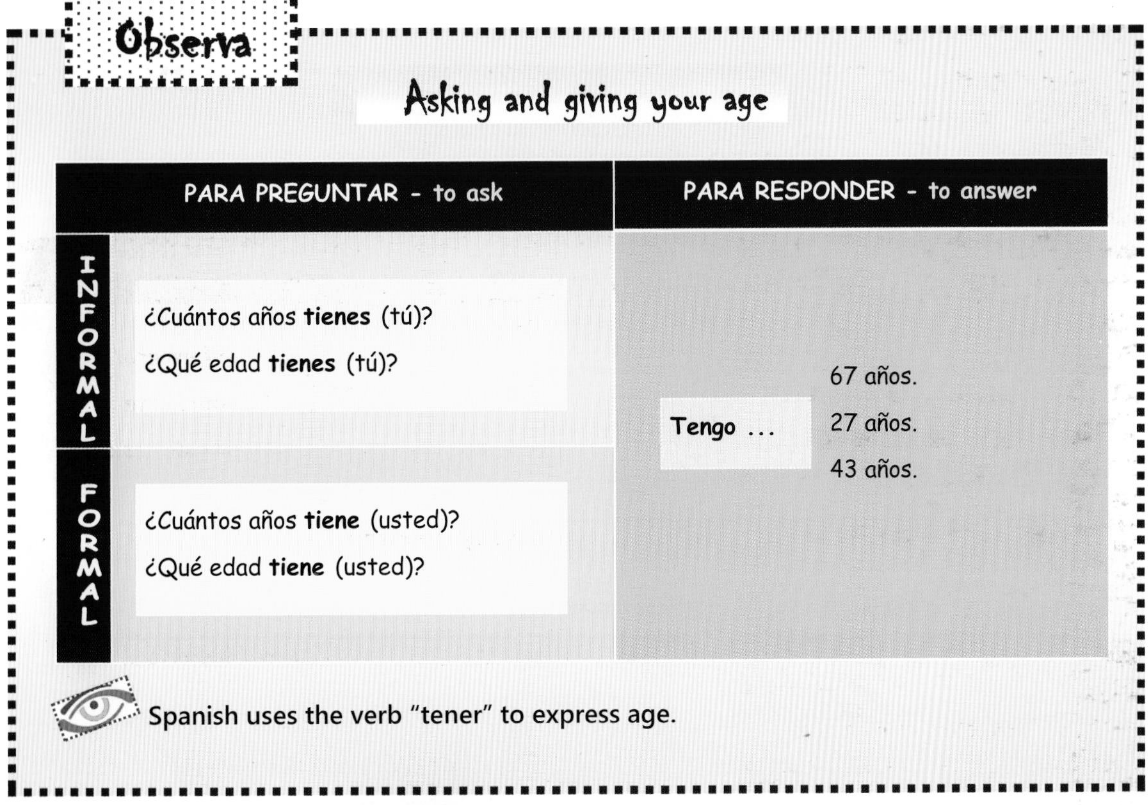

Observa

Asking and giving your age

	PARA PREGUNTAR - to ask	PARA RESPONDER - to answer
INFORMAL	¿Cuántos años **tienes** (tú)? ¿Qué edad **tienes** (tú)?	**Tengo ...** 67 años. 27 años. 43 años.
FORMAL	¿Cuántos años **tiene** (usted)? ¿Qué edad **tiene** (usted)?	

Spanish uses the verb "tener" to express age.

12. En grupos: pregunta la edad a los otros compañeros, y encuentra al más joven de la clase. In groups: ask your classmates their ages and find the youngest person in the class.

Gramática

More verbs

TRABAJAR		to work	
yo	trabaj-o	I	work
tú	trabaj-as	you	work
él, ella	trabaj-a	he, she	works
usted	trabaj-a	you (formal)	work

ESTUDIAR		to study	
yo	estudi-o	I	study
tú	estudi-as	you	study
él, ella	estudi-a	he, she	studies
usted	estudi-a	you (formal)	study

TENER		to have	
yo	teng-o	I	have
tú	tien-es	you	have
él, ella	tien-e	he, she	has
usted	tien-e	you (formal)	have

13. **Completa las siguientes frases, utilizando las palabras del cuadro.** Complete the next sentences, using the words in the box.

- trabajo (x2) • estudia (x2) • arquitecto • médica • eres • soy
- trabaja (x2) • tiene (x4) • tienes • trabajas • tengo

1. Yo ______________ estudiante, pero ______________ como cocinero en un colegio.
2. María ______________ arte y ______________ como azafata.
3. Juan ______________ 25 años y Francisco ______________ 27 años.
4. Usted, ______________ o trabaja?
5. ¿Cuántos años ______________ tú?
6. Tú ______________ médico y ______________ en un hospital.
7. Julia es ______________ y Luís es ______________.
8. Yo ______________ 41 años y ______________ como policía.
9. Alberto ______________ 37 años y ______________ en un hospital.
10. ¿Qué edad ______________ usted?

14. a. Completa el siguiente diálogo utilizando un lenguaje informal. Complete the dialogue below using the informal form.

En el SEPE

Entrevistador	¡Hola!, ¿cómo te llamas?
Desempleada	Hola, ____________________ Celine.
Entrevistador	¿Y cómo te apellidas?
Desempleada	____________________ Trousset.
Entrevistador	¡Ah!, Trousset, ¿y cómo ____________________?
Desempleada	T-R-O-U-S-S-E-T
Entrevistador	¿A qué te dedicas?
Desempleada	____________________ maestra.
Entrevistador	¿Eres francesa?
Desempleada	Sí, ______________ francesa, de Avignon.
Entrevistador	¡Ah, muy bien!, ¿y ____________ vives?
Desempleada	____________ en la c/ Pío XII, nº7 de Madrid.
Entrevistador	¿Cuántos ______________________________?
Desempleada	____________________ 28 años.
Entrevistador	¿Qué lenguas hablas?
Desempleada	________________ alemán, francés e inglés.
Entrevistador	¿Y tu número de ____________________, por favor?
Desempleada	Sí, 91 876 456
Entrevistador	¿Y cuál ________ ________ dirección de correo electrónico?
Desempleada	Sí, ctrousset@quickmail.com
Entrevistador	¡Gracias Celine!

b. Escucha y comprueba. Listen and check.

14. c. Ayuda a completar la ficha de Celine con los verbos que faltan. Help to complete Celine's form with the missing verbs.

Se llama CELINE.
_____________ Trousset.
_____________ maestra.
_____________ francesa, de Avignon.
_____________ en la c/ Pío XII de Madrid.
_____________ 23 años.
_____________ inglés, francés y alemán.
Su número de teléfono _______ 91 876 456.
Su dirección de correo electrónico _______ ctrousset@quickmail.com.

15. ¿Cuál de los siguientes trabajos ofrecerías a Celine. Which one of the following jobs would you offer Celine?

Anuncios de empleo

Se necesita chica (21-25) responsable para trabajar como "au pair" por dos meses en Inglaterra.
Tfno: 91 23 47 56

Se require contable con experiencia para trabajar en una empresa internacional.
Tfno: 94 20 47 76

Se precisa profesora de francés para trabajar como ayudante en una academia de lenguas.
Tfno: 942 34 35 46

Se necesita intérprete y traductor de francés e inglés con conocimientos de informática.
Tfno: 941 23 42 00

Se busca persona con experiencia para trabajar en un restaurante de Benidorm.
Tfno: 93 45 67 58

Se busca guía de turismo, de 20 a 30 años, con formación en Turismo o Arte para trabajar en Sevilla.
Tfno: 984 56 45 60

16. Ahora entrevista a dos personas de tu clase y asígnales uno de los empleos. Now interview two people in your class and give one of the above jobs to them.

R 4 ¿Qué hemos aprendido? What have we learnt?

Contesta las siguientes preguntas. Answer the following questions.

1 Escribe el nombre de tres profesiones que empiezan por la letra "c".

________________, ________________, ________________ (3 p.)

2 Forma el femenino de las siguientes profesiones.

a. médico: ____________
b. oculista: ____________
c. dentista: ____________
d. escritor: ____________
e. cantante: ____________
f. decorador: ____________

(2 p.)

3 Formula tres preguntas para preguntar la profesión, en un contexto informal.

a. ________________________ (1 p.)
b. ________________________ (1 p.)
c. ________________________ (1 p.)

4 Responde en español "¿Cuántos años tienes?"

________________________ (1 p.)

5 Responde en inglés "¿Qué es el SEPE?"

________________________ (1 p.)

¿?

Tu nota: ______ puntos

L5

La familia

Los miembros de una familia
Tu estado civil
Hablar sobre la familia

The family

Family members
Your marital status
Talking about the family

Los miembros de una familia – family members

- (el) padre
- (la) madre
- (el) hijo
- (la) hija
- (el) tío
- (la) tía
- (el) marido
- (la) mujer
- (el) abuelo
- (la) abuela
- (el) nieto
- (la) nieta
- (el) hermano
- (la) hermana
- (el) sobrino
- (la) sobrina

1. a. **Escucha y repite.** Listen and repeat.

b. **Utilizando un diccionario, encuentra el equivalente español para las siguientes palabras.** Using a dictionary, find the Spanish equivalent for the following words.

E.g. the grandfather: **el abuelo**

the father:

the grandson:

the nephew:

the husband:

the son:

the brother:

the uncle:

the grandmother: **la abuela**

the mother:

the granddaughter:

the niece:

the wife:

the daughter:

the sister:

the aunt:

2. **Completa las frases siguiendo el modelo del ejemplo.** Complete the sentences following the pattern in the example.

E.g. La hermana de mi madre es mi tía.

1. **El** padre de **mi** madre es **mi** ____________________
2. **La** mujer de **mi** tío es **mi** ____________________
3. **Los** hermanos de **tu** padre son **tus** ____________________
4. **Las** hijas de **mi** hermana son **mis** ____________________
5. **El** hermano de **su** sobrina es **su** ____________________
6. **Los** padres de **sus** padres son **sus** ____________________

The definite article

In Spanish, the articles precede the noun and indicate its gender, masculine or feminine; they also agree in number with it.

	MASCULINO ♂	FEMENINO ♀	
the	**el** abuelo	**la** abuela	SINGULAR
	los abuelos	**las** abuelas	PLURAL

Possessive adjectives

	SINGULAR	PLURAL
my	**mi** hijo/a	**mis** hijos/as
your	**tu** hermano/a	**tus** hermanos/as
his/her	**su** tío/a	**sus** tíos/tías

Observe that in Spanish, unlike in English, the adjective agrees in number with the possessed object, for instance, "**mis** tíos son los padres de **mis** primos"; "**mi** tía es la hermana de **mi** madre".

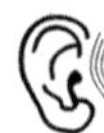 3. a. **Escucha a Paula y completa los cuadros con los nombres de los miembros de su familia.** Listen to Paula and complete the boxes with the names of her family members.

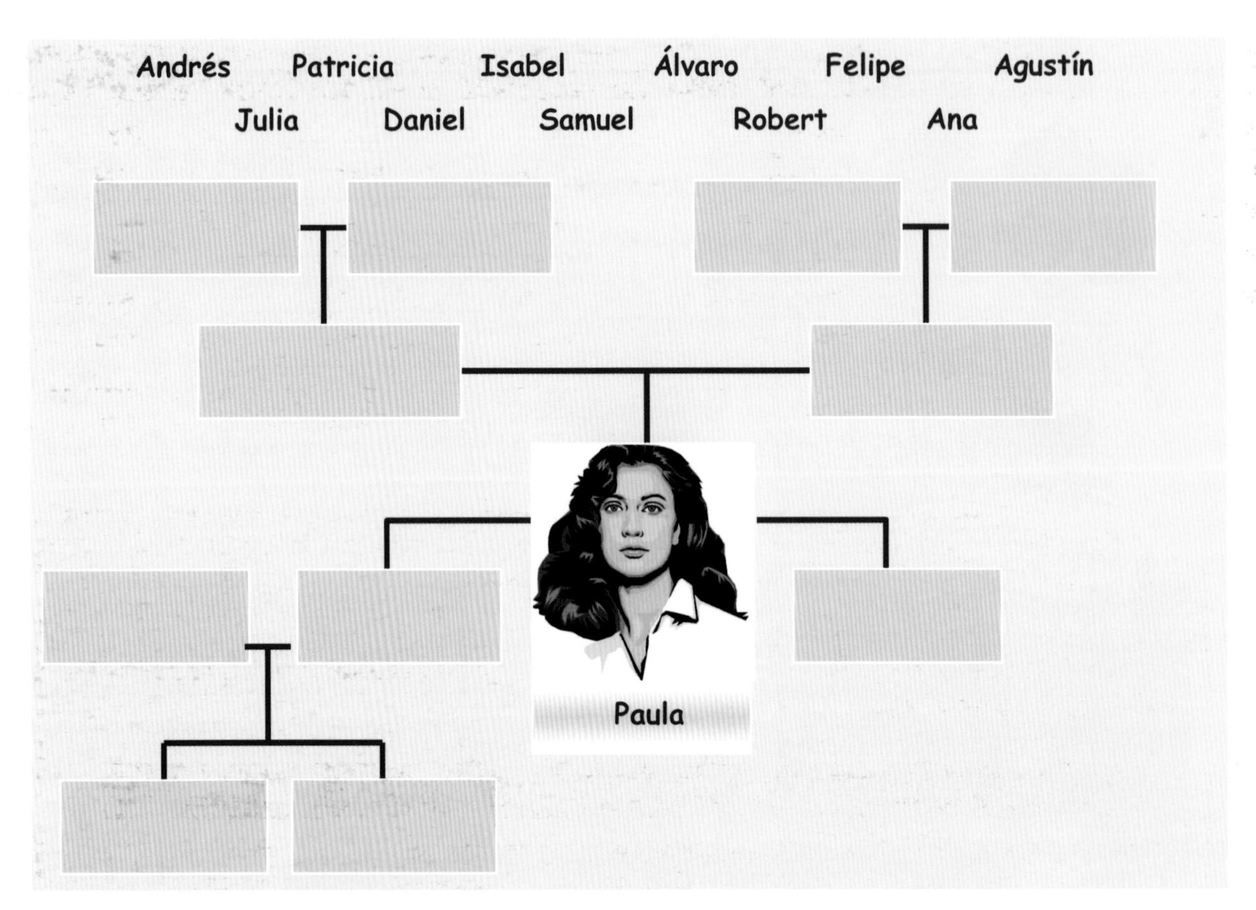

 b. **Vuelve a escuchar y di sí o no a las siguientes frases.** Listen again and say yes or no to the sentences below.

	Sí	No
1. Mis padres no **trabajan**, **son** jubilados.	✓	
2. **Tengo** tres hermanos.		
3. Mi hermano es traductor y **trabaja** como intérprete.		
4. Mi hermana **es** ama de casa.		
5. Patricia y Robert **tienen** dos hijos.		
6. Mi hermano **vive** en Irlanda.		
7. Patricia, Robert, Daniel y Samuel **viven** en Francia.		
8. Julia **tiene** 92 años.		
9. El marido de Julia se llama Felipe.		

4. **Observa los verbos que aparecen en negrita en las frases del ejercicio 3.b y completa las siguientes tablas de verbos.** Look at the verbs which appeared in bold in the sentences of the exercise 3.b and complete the table of verbs below.

PRONOMBRES - pronouns	TRABAJAR - to work	VIVIR - to live	TENER - to have	SER - to be
yo- I	trabajo	vivo	________	soy
tú- you	trabajas	vives	tienes	eres
él/ella- he/she	________	________	________	________
usted- you (formal)	trabaja	vive	tiene	es
nosotros/as- we	trabajamos	vivimos	tenemos	somos
vosotros/as- plural you	trabajáis	vivís	tenéis	sois
ellos/as- they	________	______	________	______
ustedes- plural you (formal)	trabajan	viven	tienen	son

Regular and irregular verbs

In Spanish, regular verbs follow a specific pattern of conjugation, according to the endings of their infinitives, which are "-AR", "-ER" or "-IR".

PRONOMBRES	TRABAJ- AR	COM- ER	VIV- IR
yo- I	trabaj- **o**	com- **o**	viv- **o**
tú- you	trabaj- **as**	com- **es**	viv- **es**
él/ella- he/she	trabaj- **a**	com- **e**	viv- **e**
usted- you (formal)	trabaj- **a**	com- **e**	viv- **e**
nosotros/as- we	trabaj- **amos**	com- **emos**	viv- **imos**
vosotros/as- plural you	trabaj- **áis**	com- **éis**	viv- **ís**
ellos/as- they	trabaj- **an**	com- **en**	viv- **en**
ustedes- plural you (formal)	trabaj- **an**	com- **en**	viv- **en**

However, irregular verbs, such as "ser", "tener" and "estar", follow their own pattern that you must memorize for each verb. See below:

PRONOMBRES	SER	TENER	ESTAR
yo- I	**soy**	**tengo**	**estoy**
tú- you	**eres**	**tienes**	**estás**
él/ella- he/she	**es**	**tiene**	**está**
usted- you (formal)	**es**	**tiene**	**está**
nosotros/as- we	**somos**	**tenemos**	**estamos**
vosotros/as- plural you	**sois**	**tenéis**	**estáis**
ellos/as- they	**son**	**tienen**	**están**
ustedes- plural you (formal)	**son**	**tienen**	**están**

5. Escucha y completa el diálogo. Listen and complete the dialogue.

Belinda: Oye, ¿tú eres Consuelo, verdad?

Consuelo: Sí, ¿y tú, Belinda, no?, ¿cómo ___________?

Belinda: _________ _________, ¡qué alegria, cuánto tiempo sin vernos!

Consuelo: Oye, **¿estás casada?**

Belinda: No, **estoy divorciada** y tengo dos **hijos**, Susana y Alejandro. ¿Y tú, **estas casada?**

Consuelo: No, yo **estoy soltera** y no tengo **hijos**, pero tengo tres _____________, son los **hijos** de mi _______________ Luís.

Belinda: Ah, sí, lo recuerdo. ¿Y tus otros **hermanos**?

Consuelo: Juanjo está soltero y vive en _________________ y Marisa está casada, pero no tiene **hijos**.

Belinda: ¿Y _________ **padres**, cómo están?

Consuelo: ________ **padres** están bien. Viven en Marbella, ¿sabes? ¿Oye, tienes tiempo para un café?

Belinda: Sí, claro, vamos, ¡tenemos tanto de qué hablar!

Observa

Talking about marital status

	PARA PREGUNTAR - to ask		PARA CONTESTAR - to answer	
INFORMAL	¿Estás ... ¿Eres ...	casado/a?	Estoy/soy ...	soltero/a casado/a viudo/a divorciado/a separado/a
FORMAL	¿Está ... ¿Es ...	casado/a?		

Notice that to express marital status, both "ser" or "estar" can be used, e.g, "soy/estoy casado"

Parents, children and siblings

MASCULINO ♂	FEMENINO ♀	AMBOS - both
padre	madre	padres - parents
hermano	hermana	hermanos - siblings
hijo	hija	hijos - children

Spanish uses the plural of the masculine noun to refer to parents, children and siblings.

Pronunciación

6. a. **Observa las siguientes sílabas. Escucha como suenan y repite.** Look at the syllables below. Listen to how they sound and repeat.

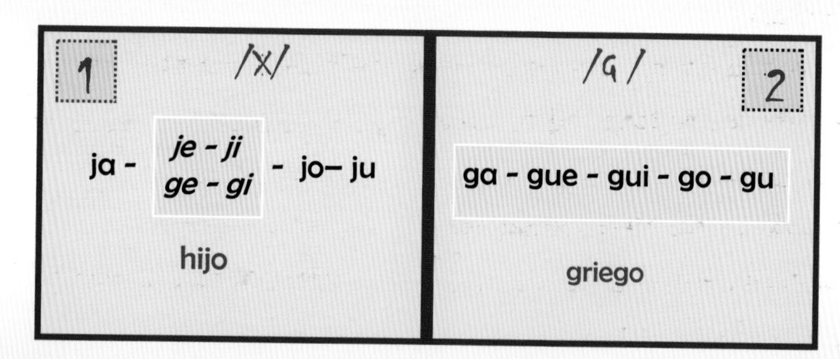

b. **Escucha algunas palabras y colócalas en el grupo 1 ó 2.** Listen to some words and put them into box 1 or 2.

7. a. **Completa y lee en voz alta las siguientes frases.** Complete and read aloud the following sentences.

- tienen (x2) • su • sus • son • habla (x2) • vive (x2)
- mi (x2) • viven • estudia • es (x3) • mis (x3) • trabaja (x3)

1. Mi hermana se llama Gabriela y _______ hermanos se llaman Joaquín y Jesús.
2. Jorge _______ griego y francés y ___________ como guía en Atenas.
3. José y Gerardo __________ hermanos gemelos y __________ 10 años.
4. _______ prima vive en Jaén y ____________ de gerente de una joyería.
5. Julia ____________ geografía y __________ dos lenguas: inglés y español.
6. Akiko _______ japonesa y _________ marido _______ argentino.
7. Jaime _______ en Gijón y ________ padres _________ en Gerona.
8. Olga y Guillermo ____________ tres hijos: una hija y dos hijos.
9. Los padres de mis padres son ______ abuelos.
10. Julián ________ mi primo y sus padres son _______ tíos.
11. ______ hijo Rodrigo _________ en Gibraltar y ___________ como juez.

b. **Escucha y comprueba.** Listen and check.

8. Rellena los siguientes diálogos y averigua a qué miembro de la familia corresponde cada uno.
Complete the following dialogues and guess which member of the family each one refers to.

La familia Alonso

A

- ¿Cómo te llamas?
• ________________ Juan.
- ¿De dónde eres, Juan?
• Soy argentino, de Buenos Aires.
- ¿Estás ________________?
• Sí, estoy casado.
- ¿De dónde es ______ mujer?
• Mi mujer ________ francesa.
- ¿Y cómo ______________?
• Se llama Sophie.
- ¿Tenéis hijos?
• Sí, _____________ dos.
- ¿Qué edad tienen?
• María ______ ocho y Juan ______ seis.
- ¿Tus hijos hablan francés?
• Sí, __________ español y francés.
- ¿En qué ____________, Juan?
• ______________ arquitecto.
- ¿Y tu mujer?
• Ella no trabaja, ________ ama de casa.

Es el ____________

B

- ¿Tienes hermanos?
• Sí, ____________ un hermano.
- ¿Dónde vives?
• ____________ en Madrid.
- ¿Qué lenguas hablas?
• __________ francés y español.
- ¿Cuantos años ________?
• Tengo ocho años.
- ¿Cuántos años tiene ___ hermano?
• Mi hermano _________ seis años.

Es la ____________

C

- ¿Cómo ______________?
• ______________ Amélie.
- ¿Dónde vives?
• ______________ en París.
- ¿______________ casada?
• Sí, estoy __________.
- ¿Cómo ______________ tu marido?
• ______________ Pierre.
- ¿ ______________ hijos?
• Sí, tenemos una hija.
- ¿En qué ______________ tu hija?
• Es ama de casa.
- ¿Tienes nietos?
• Sí, dos.

Es la ____________

¿Sabes que...?

Hispanic families

South American families are usually larger than Spanish families. Nowadays, it is unusual to find a family of five members or more in Spain, unlike in South America, and the average number of children in a Spanish family is 1.4. According to the data released by the Spanish National Statistics Institute, in 2010 the birth rate decreased by 3.2%. Spain now has the fourth highest number of elderly citizens in the world.

9. **Lee el siguiente texto y di a cuál de las tres familias describe.** Read the following text and say which of the three families it describes.

¡Hola!, me llamo Patricia y **esto** es una foto de mi familia.

Ellos son: mis padres, mi hermana y mis abuelos. **Este** es mi padre; se llama Joaquín y es médico; tiene 36 años. Y **esta** es mi madre; se llama Elisa, tiene 32 años y es ama de casa; además estudia historia en la universidad. **Estos** son mis abuelos, Eleonora y Gregorio, están jubilados y viven en La Habana. Tienen 60 y 65 años. **Esta** es Cristina, tiene 10 años y es mi hermana mayor. Y **esta** soy yo; me llamo Elena y tengo 7 años.

Esto es Cuba; somos cubanos, pero vivimos en los Estados Unidos, así que somos bilingües, hablamos inglés y español.

Gramática

This and these

this	these
este, esta, esto	**estos, estas**

	PARA INDICAR LA RELACION CON ALGUIEN O EL NOMBRE DE UNA PERSONA to show the relationship with someone or the name of a person	
	MASCULINO ♂	FEMENINO ♀
SINGULAR	**Este** es mi padre.	**Esta** es Cristina.
PLURAL	**Estos** son mis abuelos.	**Estas** son mis amigas.

PARA INDICAR O IDENTIFICAR UN LUGAR - to point out or identify a place
Esto es Cuba

PARA IDENTIFICAR UN OBJETO - to identify an object
Esto es una foto de mi familia.

Notice that the demonstrative pronoun must agree in gender and number when referring to people, but when referring to an object or place, it uses the neutral form "esto", e.g., "**esta** es mi hermana Mónica", "**esto** es Benidorm".

10. **Describe una de las fotos anteriores haciéndote pasar por uno de sus miembros, y deja que tu compañero adivine de qué familia se trata.** Describe one of the previous pictures, pretending to be one of the family members, and let your partner guess which family you are describing.

____

____

____

____

____

____

____

____

R5 ¿Qué hemos aprendido? What have we learnt?

Contesta las siguientes preguntas. Answer the following questions.

1 ¿Qué miembros de la familia recuerdas?

____ (1 p.)

2 Coloca un artículo delante de cada palabra.

[ ] tío [ ] hermana [ ] abuelas [ ] sobrinos (2 p.)

3 ¿Cómo se dice "children", "parents", "siblings" en español?

a. _______________; b. _______________; c. _______________ (3 p.)

4 Contesta en español: a. ¿quiénes son los hijos de tus padres?; b ¿y las hijas de tus hermanos?

a. _______________________ b. _______________________ (2 p.)

5 ¿Cómo se dice en español: a. "I am single" b. "I am divorced"?

a. _______________________ b. _______________________ (2 p.)

¿ ? ?

Tu nota: ______ puntos

L6

En el restaurante — In a restaurant

El menú español — The Spanish menu
Pedir comida y bebida — Ordering food and drinks
Pedir la cuenta — Asking for the bill

Comida española – Spanish food

- pollo asado
- helado
- pescado con patatas
- paella
- fruta
- café
- carne a la plancha
- sopa
- tarta de chocolate
- vino
- pan
- cerveza
- zumo de naranja
- ensalada mixta
- agua mineral

1. a. Escucha y repite. Listen and repeat.
   b. Asocia las palabras con los dibujos. Match the words with the pictures.

  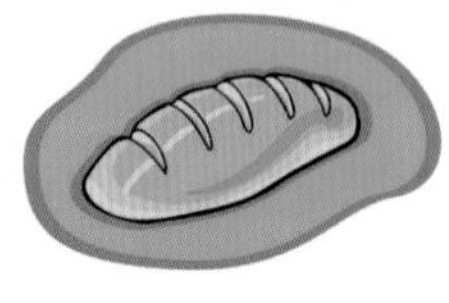  

1. ________ 2. ________ 3. ________ 4. ________ 5. ________

 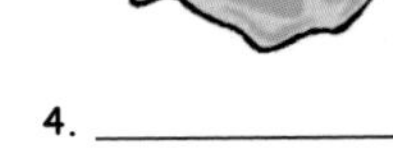

6. ________ 7. ________ 8. ________ 9. ________ 10. ________

11. ________ 12. ________ 13. ________ 14. ________ 15. ________

2. a. Aquí tienes un menú vacio, complétalo con el vocabulario que ya conoces. Here you have an empty menu, complete it with the vocabulary that you know already.

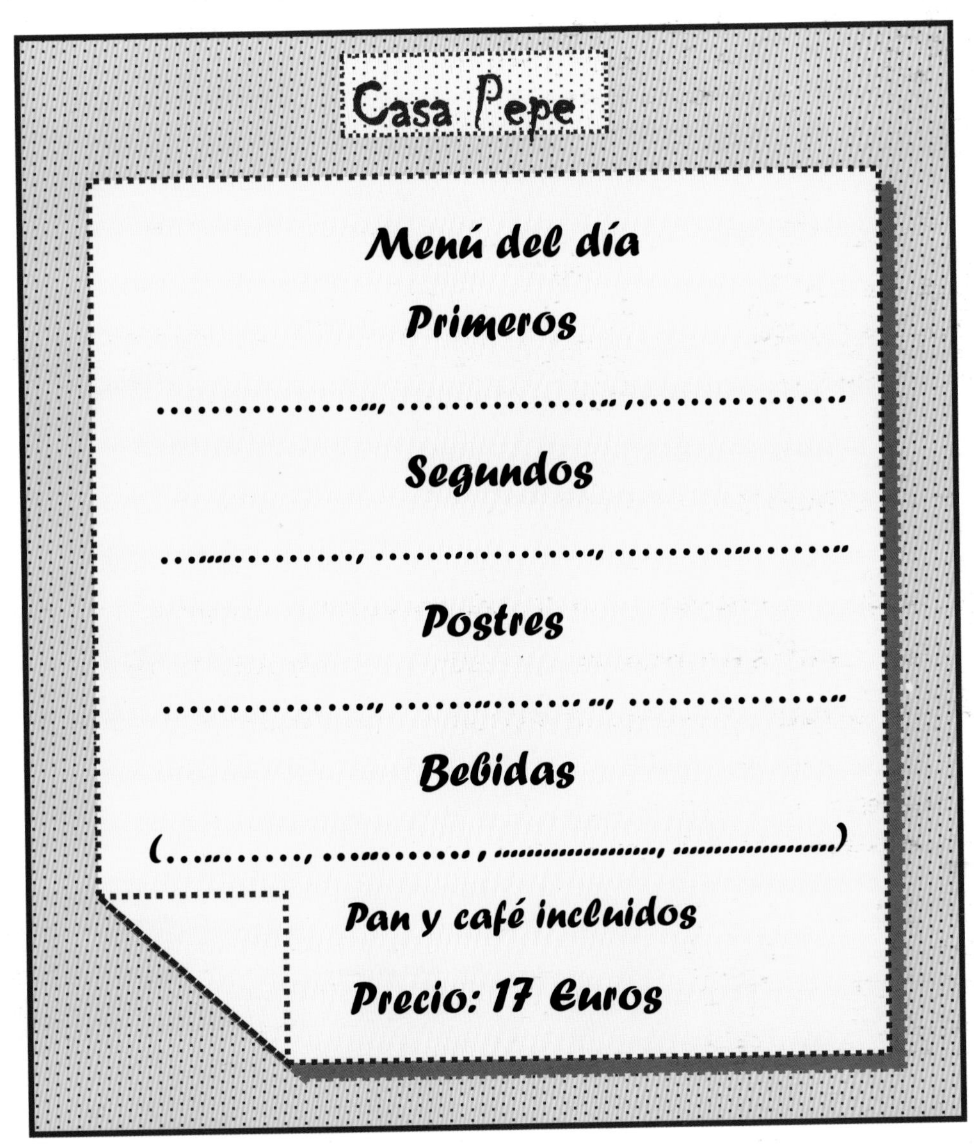

b. Escucha y comprueba. Listen and check.

3. Escucha la conversación entre un camarero y un cliente y di sí o no a las siguientes frases. Listen to the conversation between a waiter and a customer and say yes or no to the following sentences.

	Sí	No
1. De primero, paella.		
2. De segundo, pescado frito.		
3. Para beber, zumo.		
4. De postre, tarta de chocolate.		

4. **Lee el diálogo que acabas de escuchar y comprueba tus respuestas.** Read the dialogue that you have just been listening to and check your answers.

Camarero:	¡Hola, buenos días!, **¿qué quiere** tomar?
Cliente:	Pues, **de primero, quiero** sopa, y **de segundo,** pescado frito.
Camarero:	¿y **qué quiere beber?**
Cliente:	Vino y agua mineral, por favor.
Cliente:	Perdone, **necesito** un poco de pan, y otra botella de agua, por favor.
Camarero:	Muy bien.
Camarero:	**¿Qué quiere** tomar **de postre?**
Cliente:	**De postre,** un helado.
Camarero:	**¿Quiere algo más?**
Cliente:	Sí, un café y la cuenta, por favor.
Camarero:	Aquí tiene, el café y la cuenta. Son 30 euros.

Observa

Ordering food in a restaurant

CAMARERO - waiter	CLIENTE - customer
• ¡Buenos días!, **¿qué quiere tomar?**	• **De primero,** (quiero)... • **Y de segundo,** (quiero)...
• **¿Qué quiere beber?**	• **Para beber,** (quiero) ...
• **¿Qué quiere** (tomar) **de postre?**	• **De postre,** (quiero) ...
PARA PEDIR ALGO MÁS - to ask for something else	
• ¡Sí, claro!	• Perdone, **necesito** ... un poco (más) de ... / un/una... / otro/a ...
PARA OFRECER ALGO MÁS - to offer something else	
• **¿Quiere algo más?**	• Sí.../no, gracias.

5. a. Relaciona las preguntas y respuestas de las dos columnas. Match the questions and anwers in the two columns.

CAMARERO
1. ¿Qué quiere tomar de primero?
2. ¿Qué quiere tomar de segundo?
3. ¿Y qué quiere beber?
4. ¡Sí, claro, aquí tiene!
5. ¿Qué quiere tomar de postre?
6. ¿Quiere algo más?

CLIENTE
a. Fruta.
b. Una cerveza.
c. Necesito, otra cerveza, por favor.
d. Paella.
e. Sí, un café, por favor.
f. Carne a la plancha.

b. Escucha y comprueba. Listen and check.

Observa

Asking for something else

	PRIMERA VEZ - first time	SEGUNDA VEZ - another time
CONTABLE one of...	Necesito **un** ... vaso /**una** ... taza.	Necesito **otro** ... vaso /**otra** ... taza
INCONTABLE some of...	Necesito **un poco de** ... pan.	Necesito (un poco) **más** (de) ... pan

NUNCA - never: un otro/ una otra

Gramática

The indefinite article

	MASCULINO ♂	FEMENINO ♀	
a/an	**un** café	**una** cerveza	SINGULAR
	unos cafés	**unas** cervezas	PLURAL

Remember that generally a noun is preceded by an article, which agrees in gender and number with the noun. The articles are classified into definite: **"el"**, **"la"**, **"los"**, **"las"** and indefinite: **"un"**, **"una"**, **"unos"**, **"unas"**.

Más palabras – more words

- (el) aceite
- (el) pan
- (la) sal
- (el) cuchillo
- (el) vaso
- (la) taza
- (la) mayonesa
- (el) vinagre
- (el) encendedor
- (la) pimineta
- (la) servilleta
- (el) tenedor
- (la) cuchara
- (el) azúcar

6. a. Escucha y repite. Listen and repeat.
   b. Busca las palabras en un diccionario y colócalas en la columna apropiada. Look up the words in a dictionary and place them in the appropriate column.

CONTABLES – one of ...	INCONTABLES – some of ...
(el) pan	(el) aceite

7. Escribe las palabras que oigas y a continuación la frase que necesitas decir para pedir al camarero. Write down the words you hear and then the sentence you need to say the waiter.

1. E.g. cuchara: primera vez: Necesito **una** cuchara, por favor
2. ______________: segunda vez: ______________
3. ______________: primera vez: ______________
4. ______________: primera vez: ______________
5. ______________: segunda vez: ______________

8. Escucha dos diálogos en un restaurante y completa el cuadro. Listen to two dialogues in a restaurant and complete the table.

De primero	De segundo	Para beber	¿Qué necesita?	De postre	¿Algo más?
1.________	1.________	1.________	1.________	1.________	1.________
2.________	2.________	2.________	2.________	2.________	2.________

En el restaurante - in a restaurant

9. **Completa el diálogo utilizando el menú español de la página 55.** Complete the dialogue using the Spanish menu on page 55.

¡Hola, buenos días!
De primero, quiero __________
Y de segundo __________

¡Hola, buenos días!, ¿qué quiere tomar?

¿Y para beber?

Para beber, quiero __________

¡Sí, claro, enseguida!

Perdone, necesito __________

¿Qué quiere tomar de postre?

De postre, __________

¿Desea algo más?

____

Observa

¿Qué quiere (tomar)? or ¿qué desea (tomar)?

Spanish, to ask "what would you like?", uses the questions: "¿qué quiere?" or "¿qué desea?", which mean the same thing. Although "¿qué desea? " is slightly more polite, both are used in the same situation.

Also notice that "tomar" can refer to both "beber" or "comer", and in this context, it could be translated as "to have".

10. a. **Completa los diálogos.** Complete the dialogues.
    b. **Escucha y comprueba.** Listen and check.

• quiero • ~~desea~~ • quiere • tomar • beber • comer • necesito

1. • Hola, buenos días, ¿qué *desea* tomar?
   - Un café, por favor.
2. • Hola, buenas, ¿qué quiere ________?
   - Una cerveza, por favor.
3. • Perdone, __________ más pan, por favor.
   - Sí, claro, enseguida.
4. • ¿Quiere ________ algo más?
   - Sí, otra ensalada, por favor.
5. • Hola, ¿qué ________ ________?
   - Una tortilla de patata y un zumo.
6. • ¿Desea algo más?
   - Sí, ________ la cuenta, por favor.

11. **Escucha y completa los diálogos.** Listen and complete the dialogues.

Observa

Ordering drinks in a cafe

	CAMARERO - waiter	CLIENTE - customer
UN CLIENTE one customer	• ¿Qué **quiere/desea** tomar?	• **Quiero...**
MÁS DE UNO more than one	• ¿Qué **quieren/desean** tomar?	• **Yo quiero ...** - **Para mí, ...**
	PARA PEDIR ALGO MÁS - to ask for something else	
UN CLIENTE one customer	• (¡Sí, enseguida/ahora mismo!)	• Perdone, **necesito ...**
MÁS DE UNO more than one	• (¡Sí, enseguida/ahora mismo!)	• Perdone, **necesitamos ...**
	PARA OFRECER ALGO MÁS - to offer something else	
UN CLIENTE one customer	• **¿Quiere/desea** algo más?	• ¡Sí, .../no, gracias!
MÁS DE UNO more than one	• **¿Quieren/desean** algo más?	• ¡Sí, .../no, gracias!

Notice that to refer to more than one person, the plural of the third person (ustedes) is used.

More verbs

PRONOMBRES - pronouns	DESEAR - to wish	TOMAR - to have	NECESITAR - to need
yo- I	dese- **o**	tom- **o**	necesit- **o**
tú- you	dese- **as**	tom- **as**	necesit- **as**
él/ella- he/she	dese- **a**	tom- **a**	necesit- **a**
usted- you (formal)	dese- **a**	tom- **a**	necesit- **a**
nosotros/as- we	dese- **amos**	tom- **amos**	necesit- **amos**
vosotros/as- plural you	dese- **áis**	tom- **áis**	necesit- **áis**
ellos/as- they	dese- **an**	tom- **an**	necesit- **an**
ustedes- plural you (formal)	dese- **an**	tom- **an**	necesit- **an**

PRONOMBRES - pronouns	COMER - to eat	BEBER - to drink	QUERER - to want
yo- I	com- **o**	beb- **o**	quier- **o**
tú- you	com- **es**	beb- **es**	quier- **es**
él/ella- he/she	com- **e**	beb- **e**	quier- **e**
usted- you (formal)	com- **e**	beb- **e**	quier- **e**
nosotros/as- we	com- **emos**	beb- **emos**	quer- **emos**
vosotros/as- plural you	com- **éis**	beb- **éis**	quer- **éis**
ellos/as- they	com- **en**	beb- **en**	quier- **en**
ustedes- plural you (formal)	com- **en**	beb- **en**	quier- **en**

12. **Hay un verbo irregular en el cuadro, identifícalo.** There is an irregular verb in the box, identify it.

13. a. **Role-play (A y B): actua como camarero y después como cliente con tu compañero.** Role-play (A and B): perform as a waiter and then as a customer with your partner.

    b. **Role-play (A, B y C): actuad como camarero y dos clientes en una cafetería.** Role-play (A, B and C): perform as a waiter and two customers in a cafe.

14. a. Relaciona las monedas y los países. Match the currencies and the countries.

MONEDAS - currencies	PAÍSES - countries
1. (el) euro (€)	a. Paraguay
2. (el) córdoba (C$)	b. Perú
3. (el) peso ($)	c. España
4. (el) bolívar (Bs)	d. Venezuela
5. (el) guaraní (₲)	e. Méjico
6. (el) nuevo sol (S/)	f. Ecuador
7. (la) lempira (L$)	g. Nicaragua
8. (el) dólar ($)	h. Honduras
9. (el) quetzal (Q)	i. Guatemala

b. Escucha y comprueba. Listen and check.

¿Sabes que...?

"El peso" in Latin America

The word "peso", which in Spanish means weight, was originally used in Spain in the mid 15th century to refer to "*pesos de oro* " or "*pesos de plata*" (gold or silver weights).
From the 16th century it was also used in Mexico and other colonies of the Spanish Empire and it became of considerable importance internationally.

Nowadays the "peso", although having a different value, is the currency name in seven Latin American countries (Argentina, Chile, Colombia, Cuba, Dominican Republic, Mexico, Uruguay).

 **15. Escucha y relaciona las dos columnas.** Listen and match the two columns.

1. ¿Me trae la cuenta, por favor?
2. La cuenta, por favor.
3. ¿Cuánto es?
4. ¿Cuánto le debo?

a. Aquí tiene.
b. Son 40 pesos.
c. Son 67 pesos.
d. Sí claro, ahora mismo.

Asking for the bill

CLIENTE - customer	CAMARERO - waiter
¿(Me trae) la cuenta, por favor?	Sí, ahora mismo/ Aquí tiene.
¿Cuánto es/le debo?	Son... euros.

16. En parejas (A y B): cuando tu compañero te pida la cuenta, utiliza las cifras de la tarjeta para contestar. In pairs (A and B): when your partner asks you for the bill, use the figures on the card to answer.

¿Sabes que...?

To tip or not to tip?

Tipping is not common in Spain, especially in bars or restaurants offering *"el menú del día"*. However, in mid-price or expensive restaurants, things are slightly different and the tip can consist of a bit of the change after having paid the bill.

By contrast, in Argentina and other South American countries, such as Chile, tipping is common in restaurants and bars. It is expected to be around 10% of the bill when the customer is satisfied with the service received.

17. **Lee las frases y completa el cuadro.** Read the sentences and complete the table.

1. El jardinero come pescado frito.
2. La recepcionista bebe zumo de naranja.
3. Rafaela bebe agua mineral.
4. Rafaela no es recepcionista.
5. Cristina come paella.
6. La enfermera come pollo asado.
7. Eduardo bebe vino blanco.

NOMBRE	PROFESIÓN	COMIDA	BEBIDA

R 6 ¿Qué hemos aprendido? What have we learnt?

Contesta las siguientes preguntas. Answer the following questions.

1 ¿Cuáles de las siguientes comidas no son primer plato en España? [ ] [ ] (2 p.)

a. ensalada b. tortilla de patata c. sopa d. paella e. pescado frito

2 Escribe un primer plato, un segundo y un postre de un menú español.

1. ____________ 2. ____________ 3. ____________ (3 p.)

3 A. Di cuál de los siguientes sustantivos no es incontable [ ]

a. sal b. pimienta c. vaso de agua d. mayonesa e. azúcar (1 p.)

B. ¿Cómo se dice "I need more of the above" (a, b and d)?

____________________________ (1 p.)

4 ¿Cómo se dice "the bill, please"? ¿Qué propina es correcto dejar en un restaurante español? (en inglés)

____________ ____________ (2 p.)

5 ¿Recuerdas cuál es el nombre de la moneda más utilizada en todo Latinoamérica?

____________________________ (1 p.)

¿...?

Tu nota: ______ puntos

L7

Mi pueblo o ciudad

Puntos cardinales
Describir tu pueblo o ciudad
Ventajas y desventajas

My town or city

Cardinal points
Describing your town or city
Advantages and disadvantages

Puntos cardinales – cardinal points

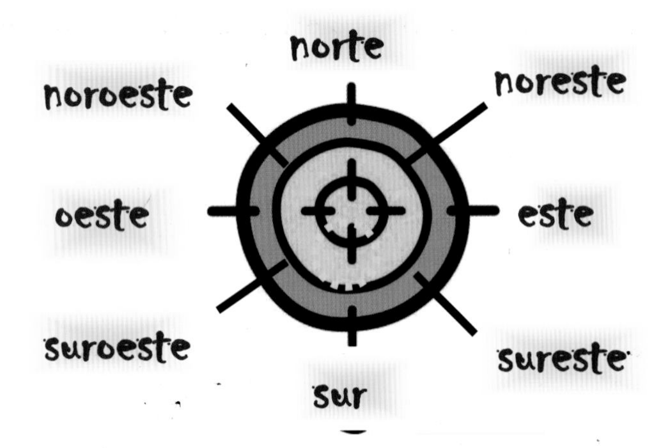

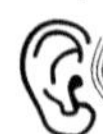

1. a. **Escucha y repite los puntos cardinales.** Listen and repeat the cardinal points.
   b. **Observa el mapa de Sudamérica y escribe el nombre de un país de lengua hispana en cada espacio.** Look at the map of South America and write the name of a Spanish speaking country in each gap.

Está en el norte: Venezuela

Está en el sur:____________

Está en el este:____________

Está en el oeste:____________

Está en el noreste:____________

Está en el noroeste:____________

Está en el sureste: ____________

Está en el suroeste:____________

Algunos adjetivos – some adjectives

- grande
- famoso/a
- cosmopolita
- pequeño/a
- feo/a
- industrial
- interesante
- bonito/a
- moderno/a
- tranquilo/a
- aburrido/a
- antiguo/a
- dinámico/a

2. a. Escucha y repite los adjetivos. Listen and repeat the adjectives.
   b. Utilizando un diccionario, encuentra cuatro parejas de adjetivos contrarios. Using a dictionary, find four opposite pairs of adjectives.

feo/a	bonito/a
______	______
______	______
______	______
______	______

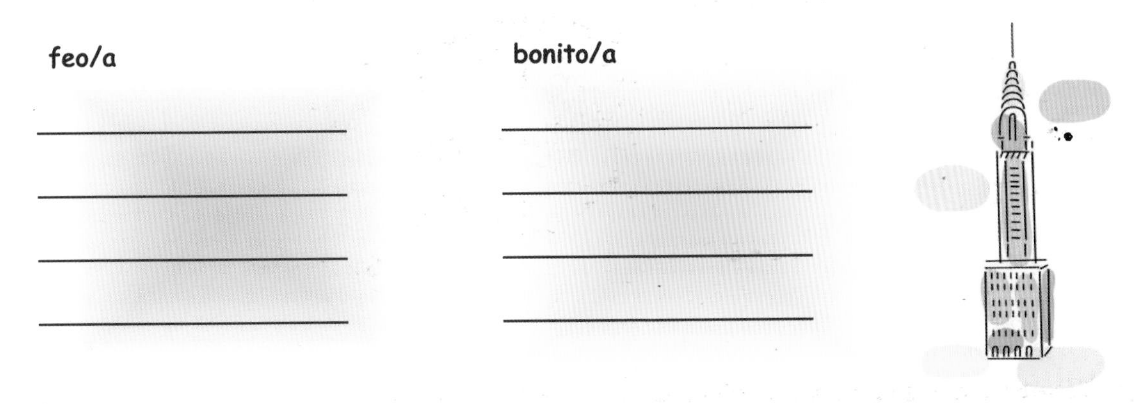

3. Di si las siguientes frases son verdaderas o falsas. Say whether the following sentences are true or false.

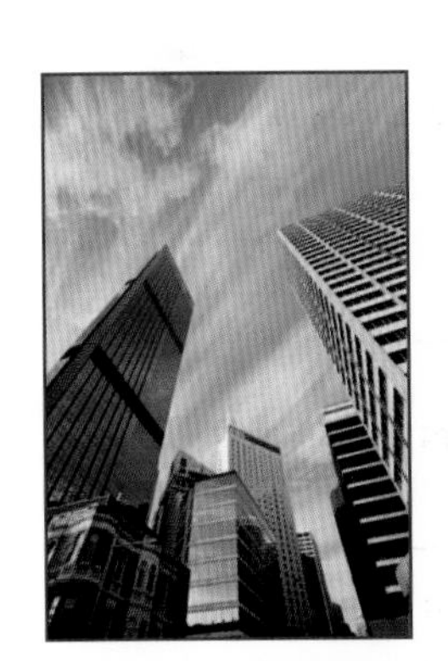

	V	F
1. Barcelona es una ciudad cosmopolita.		
2. Argentina es un país pequeño.		
3. Buenos Aires es una ciudad grande.		
4. Perú es un país industrial.		
5. La Habana es una ciudad bonita.		
6. Madrid es una ciudad tranquila.		

Gramática

Adjectives' endings (gender and number)

SINGULAR

MASCULINO ♂		FEMENINO ♀	
Ending in "- o"	un país bonito	Change to "- a"	una ciudad bonita

UNA SOLA TERMINACIÓN - unchangeable ending

Ending in "- a", "- al" or "- e" > NO CHANGE

un país/una ciudad cosmopolita, industrial y grande

In Spanish, the adjective is generally placed after the noun and it changes to agree with the gender of the noun it refers to. However, notice that some adjectives remain the same.

PLURAL

MASCULINO ♂		FEMENINO ♀	
"- os"	unos países bonitos	"- as"	unas ciudades bonitas

UNA SOLA TERMINACIÓN - unchangeable ending

"- as", "- ales", or "- es"

unos países/ unas ciudades cosmopolitas, industriales y grandes

When the noun is plural, the adjective also changes its ending; it adds "- s" to the vowel ending, and "- es" to a consonant ending.

4. Completa los cuadros con adjetivos. Complete the boxes with adjectives.

Caracas es una ciudad ____________________

Venezuela es un país ______________

Puerto Rico es un país ______________

Ecuador y Uruguay son unos países ______________

Madrid y Barcelona son unas ciudades ____________________

España es un país ____________________

Acapulco es un lugar ______________

Bilbao es una ciudad ______________

Málaga es un lugar ______________

5. **Escucha y marca la información que oigas sobre algunas ciudades españolas.** Listen and tick the information that you hear about some Spanish places.

	SEVILLA	BARCELONA	LOGROÑO	SALAMANCA	BILBAO
NORTE					
SUR	✓				
ESTE					
OESTE					
INTERESANTE	✓				
INDUSTRIAL					
GRANDE	✓				
BONITO/A	✓				
ANTIGUO/A	✓				

6. **Observa el ejemplo y responde las preguntas utilizando la información del cuadro de arriba.** Look at the example and answer the questions using the information in the box above.

ESTÁ	¿Dónde está Sevilla? Sevilla ESTÁ en el sur de España
ES	¿Cómo es Sevilla? Sevilla ES una ciudad interesante, grande, bonita y antigua

1

¿Dónde está Barcelona?

____

¿Cómo es Barcelona?

____

2

¿Dónde está Logroño?

____

¿Cómo es Logroño?

____

3

¿Dónde está Salamanca?

____

¿Cómo es Salamanca?

____

4

¿Dónde está Bilbao?

____

¿Cómo es Bilbao?

____

Ser or estar?

There are two Spanish verbs that are translated as TO BE; they are *SER* and *ESTAR.*

ESTAR		SER		To be	
yo	estoy	yo	soy	I	am
tú	estás	tú	eres	you	are
él, ella, usted	está	él, ella, usted	es	he, she, you (f.)	is
nosotros/as	estamos	nosotros/as	somos	we	are
vosotros/as	estáis	vosotros/as	sois	plural you	are
ellos/as, ustedes	están	ellos/as, ustedes	son	they, plural you (f.)	are

Notice that both of them are irregular.

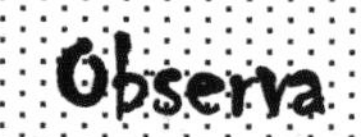

Using "SER" or "ESTAR"

To be — ESTAR / SER

Sevilla ESTÁ en el sur de España.

Sevilla ES una ciudad bonita.

Completa el cuadro (SER o ESTAR) – Complete the box (SER or ESTAR)

________ is used to describe inherent characteristics.

________ is used to indicate position and location.

Remember that the verb "SER" has also been used in previous lessons to express nationality: "yo **soy** español"; occupation: "Juan **es** médico"; and the relationship of one person to another: "María **es** mi hermana", while the verb "ESTAR" has been used in greetings: "¿Cómo **estás**?"

En tu pueblo/ciudad – in your town/city

- (el) puerto
- (la) iglesia
- (el) puente
- (el) monumento
- (la) catedral
- (la) playa
- (el) museo
- (la) universidad
- (la) plaza
- (el) río
- (el) mercado
- (la) fuente

7. a. **Escucha y repite.** Listen and repeat.
   b. **Escribe las palabras españolas al lado de su correspondiente significado en inglés.** Write the Spanish words next to their English meanings below.

(the) monument: ______________	(the) cathedral: ______________
(the) museum: ______________	(the) bridge: ______________
(the) church: ______________	(the) beach: ______________
(the) port: ______________	(the) river: ______________
(the) university: ______________	(the) fountain: ______________
(the) square: ______________	(the) market: ______________

8. a. **Escribe el nombre de una ciudad diferente en cada espacio.** Write the name of a different city in each gap.

Es una ciudad alegre y cosmopolita: ______________

Tiene museos importantes: ______________

Está en el centro de España: ______________

No hay playa: ______________

Está lejos de Barcelona: ______________

Está cerca de Toledo: ______________

Es famosa por su fuente "La Cibeles": ______________

Es la capital de España: ______________

   b. **Ahora encuentra una ciudad española que presente todas estas caracteristicas.** Now find a Spanish city which has all of these characteristics.

9. **Lee el siguiente texto y adivina el nombre de la ciudad española.** Read the text below and guess the name of the Spanish city.

> Tiene casi* cuatro millones de habitantes. Es una ciudad moderna, pero también tiene una parte antigua. Está en el centro del país, cerca de Ávila y Toledo, pero lejos de Barcelona. Tiene un parque muy grande, plazas, museos importantes, monumentos, mercados, muchas tiendas y bares. No tiene playa, pero tiene un río. Es la capital de España y una ciudad alegre y cosmopolita. Es famosa por su fuente "La Cibeles".

* CASI
almost

10. **Asocia las frases de las dos columnas.** Match the sentences in the two columns.

1. Es famosa por...	A. It is far from...
2. Está cerca de...	B. There is/are ...
3. Está lejos de ...	C. It has ...
4. Tiene...	D. It is famous for...
5. Hay ...	E. It is near to ...

Observa

Describing a town or a city

PARA UBICAR EL PUEBLO/LA CIUDAD - to locate the city/town	
Está CERCA DE... Madrid está cerca de Ávila.	Está LEJOS DE ... Madrid está lejos de Barcelona.
PARA DESCRIBIR LO QUE TIENE - to describe what it has	
TIENE ... Madrid tiene un río.	HAY... En Madrid hay mucho tráfico.
PARA DECIR POR QUÉ ES FAMOSA - to say what it is famous for	
ES FAMOSA POR ... Madrid es famosa por su fuente La Cibeles.	

11. a. **Asocia las preguntas y respuestas de las dos columnas.** Match the questions and the answer in the two columns.

b. **Escucha y comprueba.** Listen and check.

1. ¿Cómo es Barcelona?	A. En el noreste de España.
2. ¿Dónde está Barcelona?	B. Es una ciudad interesante y cosmopolita.
3. ¿Qué tiene la ciudad?	C. Por su catedral, la Sagrada Familia.
4. ¿Qué hay en Barcelona?	D. Tiene playa.
5. ¿Por qué es famosa?	E. Hay muchas tiendas.

NO hay NADA

There is nothing

En mi ciudad NO hay NADA

NI cines, NI teatros, NI bares,

NI ... NI ...

neither ... nor ...

12. **Contesta las siguientes preguntas sobre tu pueblo o ciudad.** Answer the next questions about your town or city.

1. ¿Cómo se llama tu pueblo o ciudad?

____

2. ¿Dónde está?

____

3. ¿Cómo es?

____

4. ¿Qué tiene?, ¿qué hay?

____

____

5. ¿Por qué es famoso/a?

____

 **13. Escucha a cuatro personas hablar de sus ciudades y completa el cuadro.** Listen to four people speaking about their cities and complete the table below.

	SANTIAGO	CÓRDOBA	S. SEBASTIÁN	VALENCIA
¿Dónde está?				
¿Cómo es?				
¿Qué hay/tiene?				
¿Por qué es famoso/a?				

14. En parejas (A y B). A: piensa en tu ciudad europea favorita; B: formula las preguntas correctas utilizando la información del cuadro para adivinar qué ciudad es. In pairs (A and B). A: think of your favourite European city; B: formulate the correct questions using the information in the box to find out which city it is.

Tu ciudad favorita

¿playa?: E.g.:¿Tiene playa?

¿grande / pequeña? : ____________________

¿iglesias, catedral?: ____________________

¿norte, sur, este u oeste de Europa?: ____________________

¿cerca / Francia?: ____________________

¿lejos / Inglaterra?: ____________________

¿famosa por sus vinos? ____________________

¿cosmopolita?: ____________________

¿costa?: ____________________

¿famosa por? : ____________________

¿Tu ciudad favorita es ..... ? Sí / no

15. **Utiliza toda la siguiente información para escribir acerca de Londres.** Use all the information below to write about London.

Manchester
un puente
Cambridge
unos 10 millones de habitantes
iglesias
Big Ben
parques
museos
sureste
grande
muy verde
monumentos
cosmopolita
Inglaterra
tres aeropuertos internacionales
un río
catedrales

Londres ______________________

____

____

____

____

____

____

____

¿Sabes que...?

The biggest Spanish speaking cities

Although it is difficult to know the exact population of the biggest cities in the world, the capital of Mexico is one of the largest, with an estimated population of 20.95 million. Including the urban sprawl around the city, the capital of Mexico, is the biggest metropolitan area in the Americas and the world's fourth most densely populated area.

Buenos Aires, the capital of Argentina, is also one of the largest cities. With a population of 13 million, it constitutes the second biggest metropolitan area in South America.

16. Escucha a tres personas hablar de sus pueblos o ciudades y tacha lo bueno y lo malo que oigas de cada uno. Listen to three people speaking about their cities or towns and cross out the good and bad things you hear about each one.

	Lo bueno (+)	Lo malo (-)
MARÍA	los parques, el clima, las piscinas	el ruido, el transporte, la gente
REBECA	los mercados, los hipermercados, las tiendas	el tráfico, los aparcamientos, el clima
RAÚL	los monumentos, los museos, las catedrales	los turistas, los hipermercados, la gente

Observa

Expressing advantages and disadvantages

LO BUENO - the good thing (+) LO MEJOR - the best thing (+ +)		LO MALO - the bad thing (-) LO PEOR - the worst thing (- -)
1 • LO BUENO/ LO MALO • LO MEJOR/ LO PEOR	**es/son** + noun	*"Lo malo **es** el tráfico" ; "lo bueno **son** las tiendas"* *"Lo mejor **es** el clima"; "lo peor **son** los autobuses"*
2 • LO BUENO/ LO MALO • LO MEJOR/ LO PEOR	**es QUE** (no) **hay**.../ (no) **tiene**... + noun (no) **es** ... + adjective	*"Lo bueno es **que** no **hay** tráfico"* *"Lo peor es **que es** pequeña"*

Observe that there are two different structures that can be used after the phrases "lo bueno, lo malo, lo mejor, lo peor". The first one requires "es/son" followed by a noun (singular or plural); and the second structure is formed by "es" followed by "QUE" (in English "that") and a choice of "hay, tiene, es". Also, notice that the conjunction "que" can't be omitted.

Mas palabras – more words

• (El) tráfico • (la) contaminación • (los) espacios verdes • (el) turismo • (el) ruido • (los) parques • (el) transporte público • (los) bares • (la) tranquilidad • (los) hipermercados • (las) instalaciones deportivas

17. a. Escucha y repite. Listen and repeat.

b. Busca en el diccionario las palabras que no conozcas y colócalas en una de las tres columnas, según consideres son positivas, negativas o neutras. Look in the dictionary for the words that you do not know and place them in one of the three columns, depending on whether you consider them to be positive, negative or neither.

VENTAJAS (+)	DESVENTAJAS (-)	NEUTRAS (+, -)
	la contaminación	

18. **Haz una lista con "lo bueno" y otra con "lo malo" de tu pueblo o ciudad.** Make a list with the good things and another with the bad things about your town or city.

19. **Ahora, utlilizando las palabras de ambas listas, escribe algunas frases.** Now, using the words from both lists, write a few sentences.

Lo bueno de mi ciudad es que tiene muchos parques.

R 7 ¿Qué hemos aprendido? What have we learnt?

Contesta las siguientes preguntas. Answer the following questions.

1 Escribe en español los puntos cardinales.

____ (1 p.)

2 Escribe el nombre de un país en cada espacio.

a. Está cerca de Francia: ______________ b. Está lejos de Portugal: ______________ (2 p.)

3 Escribe tres adjetivos para describir Londres.

______________ ______________ ______________ (1 p.)

4 ¿Por qué son famosas las siguientes ciudades?

a. París: ______________ b. Ámsterdam: ______________ (2 p.)

5 Completa la siguiente frase con los verbos "ser y estar".

Madrid ________ una ciudad grande pero bonita y __________ en el centro del país. (1 p.)

6 Escribe lo mejor y lo peor de tu pueblo/ ciudad.

Lo mejor: ______________ Lo peor: ______________ (2 p.)

¿...?

Tu nota: ______ puntos

L.8

En el hotel

Reservar en un hotel
Hablar de fechas
Quejas en el hotel

In a hotel

Booking into a hotel
Talking about dates
Making a complaint

En el hotel – in a hotel

- habitación individual
- desayuno
- baño
- comida
- cena
- noche
- pensión completa
- media pensión
- ducha
- habitación doble

1. a. Escucha y repite. Listen and repeat.
   b. Escribe las palabras españolas anteriores al lado de su significado en inglés. Write the Spanish words above next to their English meanings.

dinner: ______	full board: ______
double room: ______	lunch: ______
single room: ______	night: ______
shower: ______	bath: ______
breakfast: ______	half board: ______

2. Forma tres grupos de palabras relacionadas. Make three groups of connected words.
   E.g. ducha/ baño

______, ______, ______

______ ______

______ ______

3. **Lee los tres anuncios publicitarios, y di qué hotel prefieres.** Read the advertisements and say which hotel you prefer.

Hotel sol

Es grande y confortable. Está en la parte antigua de Barcelona y cerca del mar.

Hotel Costa Blanca

Es pequeño, pero confortable. Está muy cerca de la playa. Tiene vistas bonitas y precio económico.

Hotel Mediterráneo

Está en el centro de Valencia, es lujoso y moderno. Tiene gimnasio y piscina.

4. **Escucha y completa el siguiente diálogo en un hotel.** Listen and complete the following dialogue in a hotel.

En el hotel - in a hotel

Recepcionista: ¡Hola, buenos días, ¿qué desea?

Cliente Una habitación __________________ por favor.

Recepcionista: Muy bien, ¿*para* cuándo?

Cliente: *Para* el__________ de marzo.

Recepcionista: ¿Y *para* cuántas noches?

Cliente: *Para* ______________________________

Recepcionista: ¿*Con* ____________ o *sin* ________________?

Cliente: *Con* ________________________, por favor.

Recepcionista: ¿Media pensión o ________________________?

Cliente: ______________________________________

Recepcionista: Su carnet de identidad, por favor.

Cliente: Sí, aquí tiene.

Recepcionista: Muchas gracias.

Observa

Some prepositions

PARA - for
• ¿**Para** cuándo?
• ¿**Para** cuántas personas? • ¿**Para** cuántas noches?

CON O SIN - with or without
• ¿**Con** baño o **sin** baño? • ¿**Con** desayuno o **sin** desayuno?

Los meses del año – the months of the year

• enero • febrero • marzo • abril • mayo • junio

• julio • agosto • septiembre • octubre • noviembre • diciembre

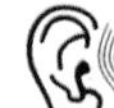

5. Escucha y repite los meses del año. Listen and repeat the months of the year.

6. a. Completa las siguientes fechas. Complete the following dates.

A. **2/2:** el d _ s de feb _ er _

B. **16/8:** el di _ ci _ _ i _ de a _ o _ to

C. **1/11:** e _ u _ o de no_ _ e _ b _e

D. **22/5:** el ve _ nti _ó _ de m _ _ o

E. **15/3:** el q _ in _ e de ma _ zo

F. **12/12:** el d_ c _ de d_ _ ie _ b _ e

G. **1/1:** el _ n _ de e _ _ r _

H. **8/9:** el _ c _ o de _ ep _ _ e _ br _

El _ _ _ _ _ _ _ _ _ _ _ _

de _ _ _ _ _ _ _ _ _ _

b. Escucha y comprueba. Listen and check.

7. **Escucha y empareja las dos columnas.** Listen and match the two columns.

1. ¿Para qué noche?	A. Para el día 3/3.
2. ¿Para cuándo?	B. Para la noche del 6/12.
3. ¿Para qué fecha?	C. Del 7 al 10/8.
4. ¿Para qué día?	D. Desde el 5 hasta el 7/7.

Observa

Talking about dates

PARA PREGUNTAR - to ask	PARA RESPONDER - to answer
• ¿Para cuándo? • ¿Para qué fecha/día/noche?	• Para el (día) ... • Para la noche del ... • Del... al... from... to... • Desde el... hasta el... from... until... E.g. **del/desde** el 4 **al/hasta** el 6 de agosto.

de + el = DEL

a + el = AL

Notice that in Spanish there are two different ways to say "from ... to/until".

8. a. **Asocia las preguntas y respuestas de las dos columnas.** Match the questions and answers in the two columns.

1. ¿Con baño o sin baño?	A. Buenos días, quiero una habitación doble.
2. ¡Hola, buenos días!, ¿qué desea?	B. Para dos noches, por favor.
3. Su carnet de identidad, por favor.	C. Sin baño.
4. ¿Para cuántas noches?	D. Media pensión.
5. ¿Para cuándo?	E. Aquí tiene.
6. ¿Media pensión o pensión completa?	F. Para el 5 de agosto.

b. **Escucha y comprueba.** Listen and check.

9. Escucha y completa el cuadro. Listen and complete the table.

	nº habitaciones	individual/doble	noches	con/sin baño	media p/p.completa/desayuno
1					
2					
3					
4					

Más palabras – more words

- (el) aire acondicionado
- (el) bar
- (el) restaurante
- (la) piscina
- (el) ascensor
- (el) aparcamiento
- (el) solárium

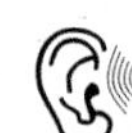

10. a. Escucha y repite. Listen and repeat.

b. Escribe las palabras del cuadro debajo de los dibujos. Write the words in the box under the pictures.

_____________ _____________ _____________ _____________ _____________ _____________ _____________

11. Escucha tres conversaciones y escribe en el cuadro lo que tiene y no tiene cada hotel. Listen to three conversations and write in the box what each hotel has and what it does not have.

	CON	SIN
Hotel Sol		
Hotel Costa Blanca		
Hotel Mediterráneo		

12. ¿Cuál es tu hotel favorito? Di por qué. Which is your favourite hotel? Say why.

E.g. Mi hotel favorito es .... porque tiene.../ porque hay ...

13. a. Completa el diálogo. Complete the dialogue.

b. Escucha y comprueba. Listen and check.

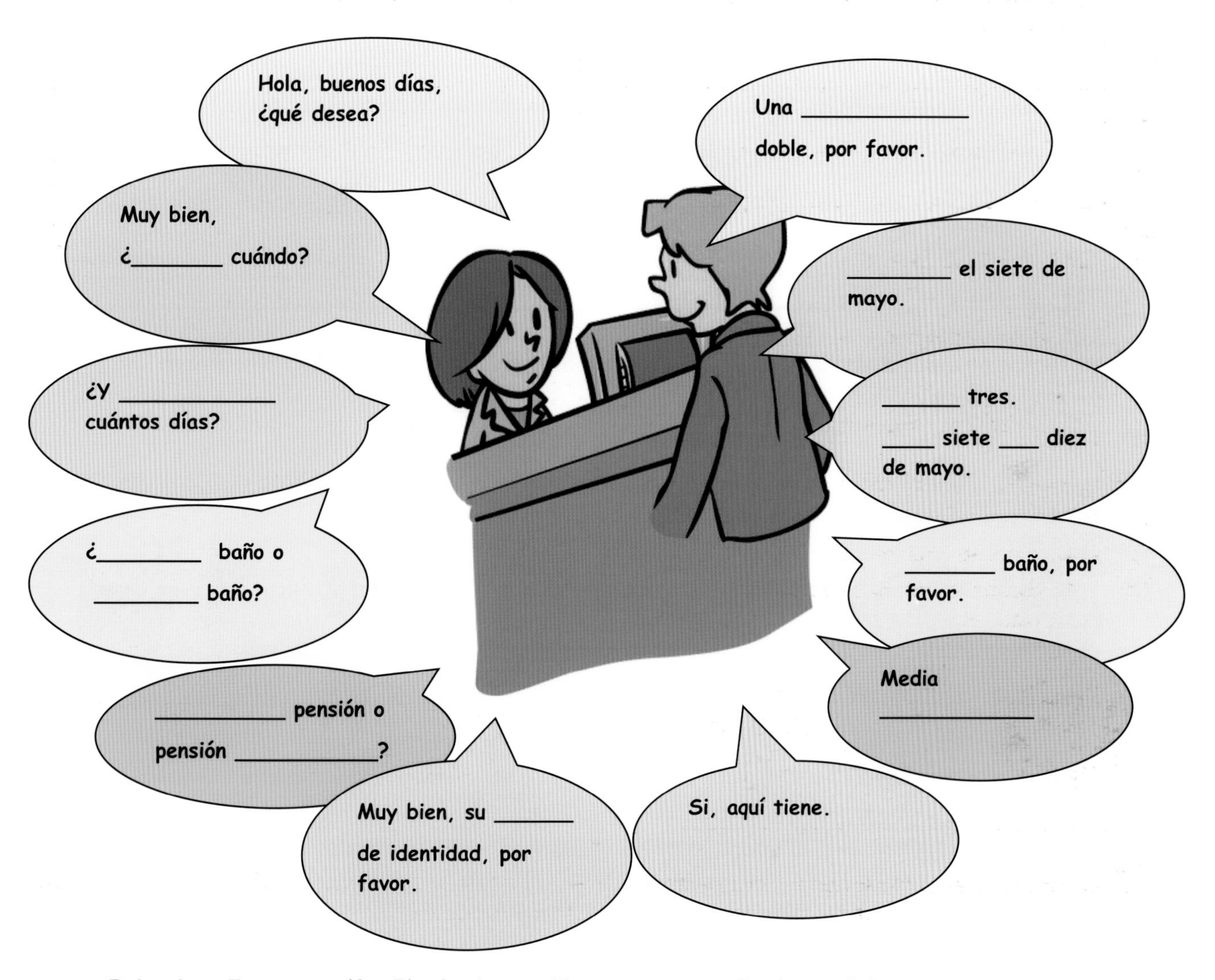

14. Role-play. En parejas (A y B). A: tú eres el/la recepcionista; B: tú eres el cliente, reserva una habitación en el hotel. Role-play. In pairs (A and B). A: you are the receptionist; B: you are the guest, book a room in the hotel.

¿Sabes que...?

Half board and full board

In Britain and other European countries, half board usually means bed, breakfast and an evening meal, and full board means an additional midday meal. However in Spain and most Latin American countries half board is slightly different and more likely to consist of bed, breakfast and lunch instead of dinner.

15. Asocia las frases de las dos columnas. Match the sentences in the two columns.

Quejas en el hotel
1. No hay luz en la habitación.
2. La habitación está sucia.
3. El aire acondicionado no funciona.
4. La ducha no funciona.
5. No hay papel higiénico en el baño.

Complaints in the hotel
A. The shower does not work.
B. The air conditioning does not work.
C. There is no light in the room.
D. The room is dirty.
E. There is no toilet paper in the bathroom.

16. Escribe en español el problema debajo de cada imagen. Write the problem below each image in Spanish.

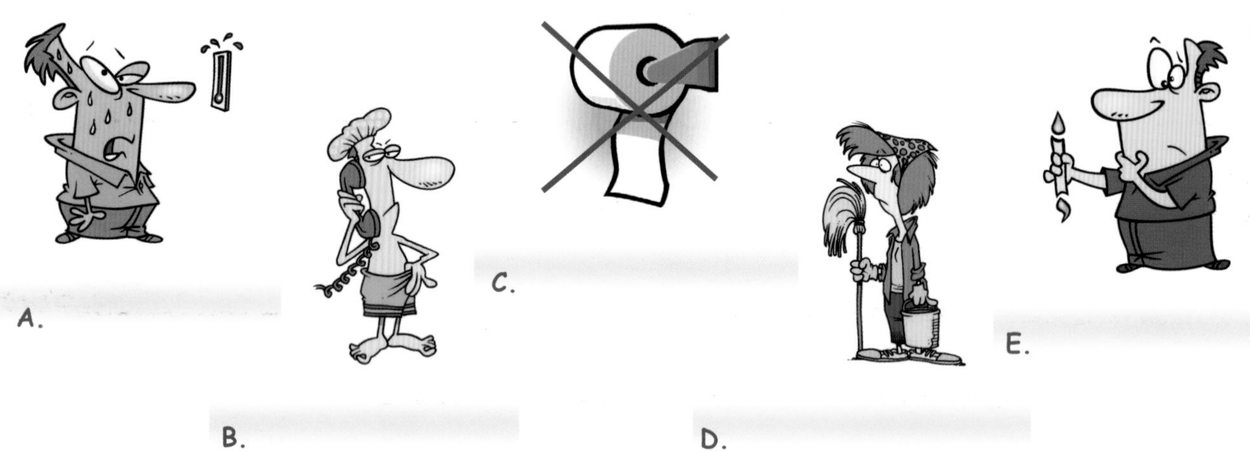

A.

B.

C.

D.

E.

17. a. Completa el cuadro con la información que vas a oir. Complete the table with the information that you hear.

b. Escucha otra vez y di cuántas reacciones fueron negativas. Listen again and say how many reactions were negative.

	APELLIDO	N° HABITACIÓN	QUEJA
1		6 0 _	
2		5 _ _	
3		7 _ _	
4		2 _ 3	

R.8 ¿Que hemos aprendido? What have we learnt?

Contesta las siguientes preguntas. Answer the following questions.

1 Traduce las siguientes palabras: "breakfast", "lunch", "dinner"

a. ____________ b. ____________ c. ____________ (3 p.)

2 ¿Cómo se dice "a double room with breakfast for three nights"?

____ (1 p.)

3 Escribe en español el primero y el último mes del año.

1. ____________ 2. ____________ (2 p.)

4 Para hablar de fechas, hay dos maneras de decir "from ... to", ¿cuáles son?

1. ____________ 2. ____________ (2 p.)

5 ¿Qué dos comidas incluye en España la media pensión?

____________, ____________ (1 p.)

6 ¿Cómo se dice "the shower does not work"?

____ (1 p.)

¿...?

Tu nota: ______ puntos

L.9

¿Dónde está?

Preguntar e indicar direcciones
Ubicar un lugar

Where is it?

Asking for and giving directions
Locating a place

En la ciudad – in the city

- (el) supermercado
- (la) comisaría de policia
- (el) buzón
- Correos
- (la) farmacia
- (el) banco
- (el) hospital
- (la) cabina de teléfono
- (el) restaurante
- (la) estación de tren
- (la) parada de autobús
- (el) cajero automático

1. a. Escucha y repite. Listen and repeat.

   b. Observa los dibujos y encuentra la correcta palabra para cada uno de ellos. Look at the pictures and find an appropriate word for each of them.

1. ______________

2. ______________

3. ______________

4. ______________

5. ______________

6. ______________

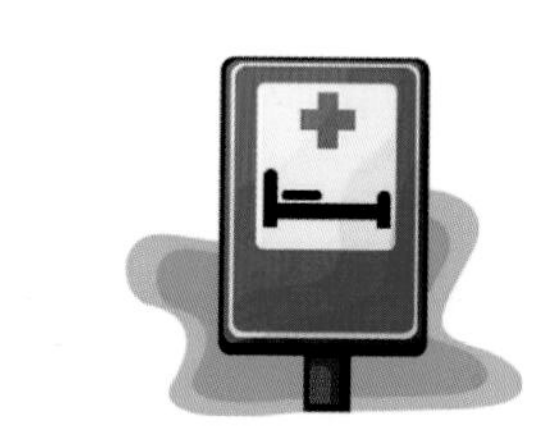

7. ______________

8. ______________

9. ______________

10. ______________

11. ______________

12. ______________

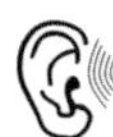

2. **Escucha y observa las direcciones.** Listen and look at the directions.

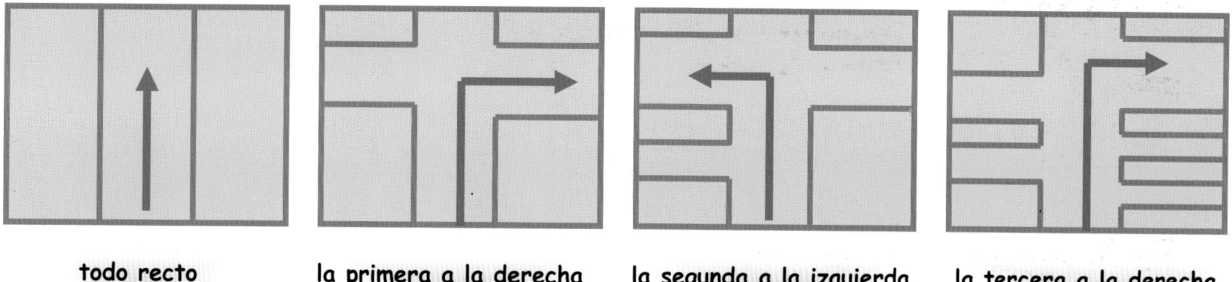

todo recto — la primera a la derecha — la segunda a la izquierda — la tercera a la derecha

3. **Elena quiere visitar a su familia. Lee los textos y encuentra dónde viven sus familiares.** Elena wants to visit her family. Read the texts and find where her relatives live.

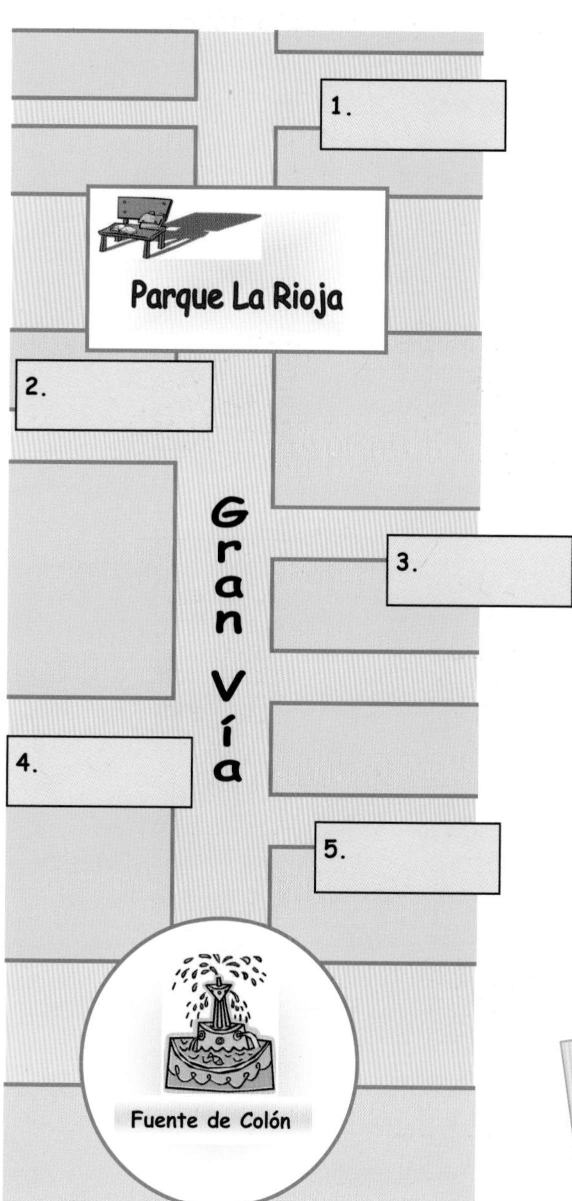

A. Hola, me llamo Ascensión y soy la abuela de Elena.

Desde la Fuente de Colón, **todo recto** hasta el Parque La Rioja, y después del Parque, **la primera a la derecha.**

B. Yo soy la prima de Elena, me llama Laura.

Vivo muy cerca de la Fuente de Colón. Después de la fuente, **todo recto** por la Gran Vía, y **la primera** calle **a la derecha.**

C. Yo soy Rafael, el tío de Elena.

Después de la Fuente de Colón, **todo recto** y **la segunda** calle **a la izquierda.** Vivo cerca del Parque de la Rioja.

street — CALLE

D. Yo soy Enrique, el hermano mayor de Elena.

Vivo muy cerca de mi prima Laura. Desde la Fuente de Colón, **todo recto** por la Gran Vía y **la primera a la izquierda.**

E. Yo soy Beatriz, la madre de Elena.

Desde la Fuente de Colón, **todo recto** por la Gran Vía, y **la tercera** calle **a la derecha.** Vivo cerca de mi hermano Rafael.

4. a. **Identifica los siguientes lugares.** Identify the following places.

b. **Ahora escucha y márcalos en el plano.** Now listen and mark them on the map.

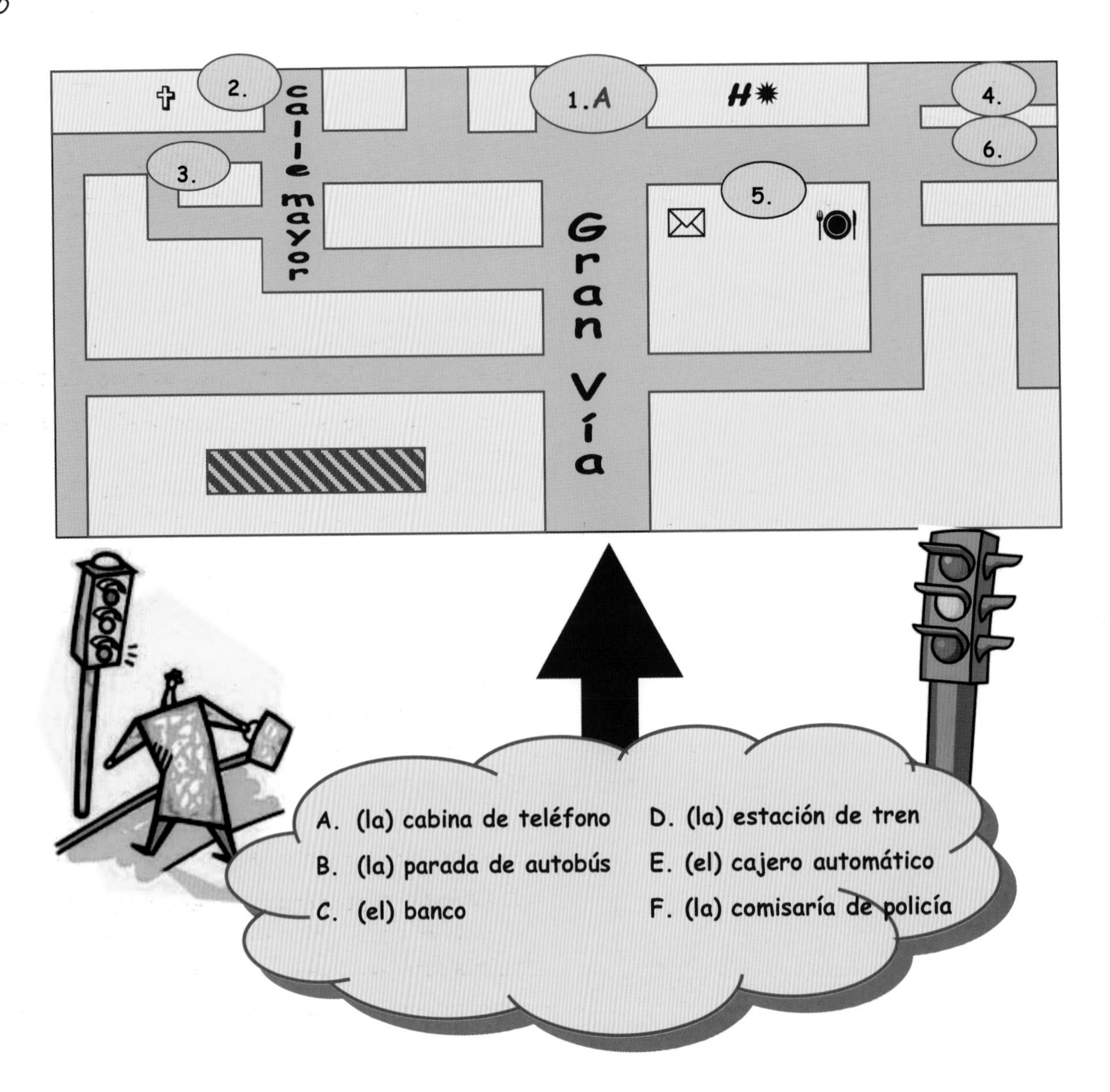

5. Lee los siguientes diálogos y observando el plano de la actividad 4.b deduce el significado de las frases preposicionales de los cuadros rosas. Read the dialogues below and by looking at the map in the activity 4.b work out the meanings of the prepositional phrases in the pink boxes.

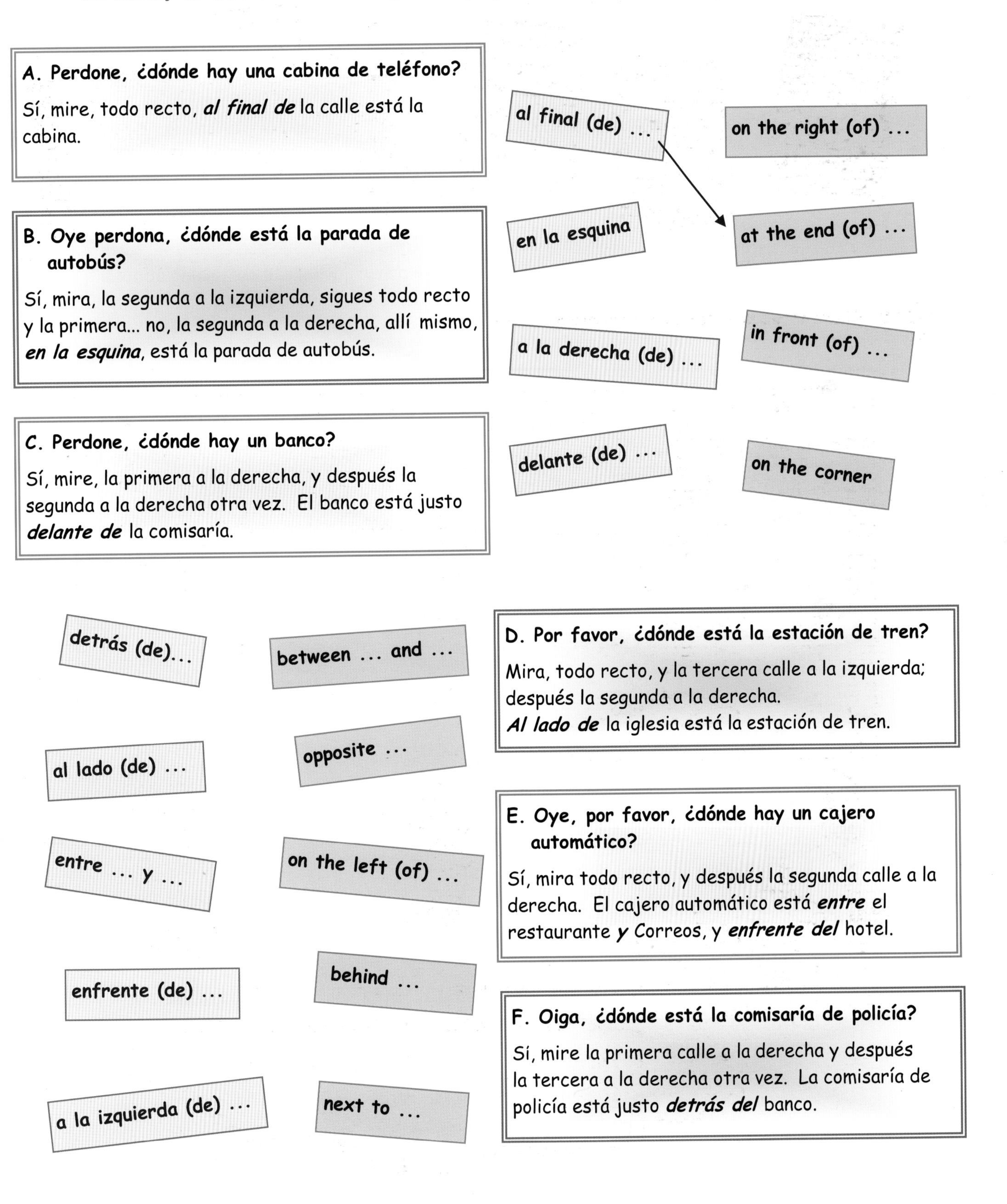

"Hay" or "está"?

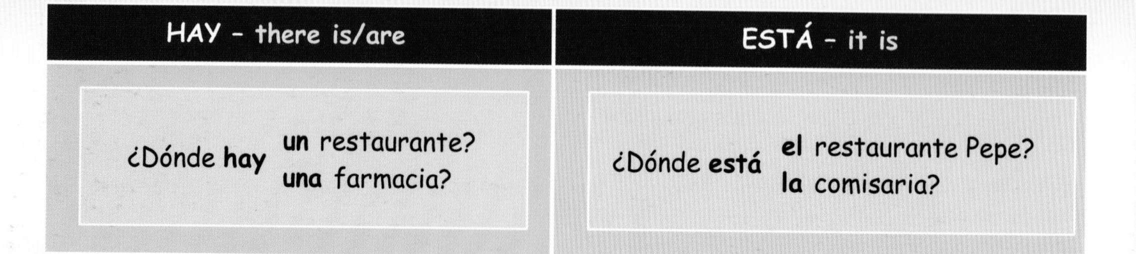

HAY - there is/are	ESTÁ - it is
¿Dónde **hay** **un** restaurante? / **una** farmacia?	¿Dónde **está** **el** restaurante Pepe? / **la** comisaria?

Notice that when you are talking about the location of a non specific place, we use "**hay**" together with an indefinite article ("**un**" or "**una**"). However, when we are talking about a specific or known place, we use "**estar**" always followed by a definite article ("**el**" or "**la**").

6. **Observa el plano y di si las siguientes frases son verdaderas o falsas.** Look at the map and say whether the following sentences are true or false.

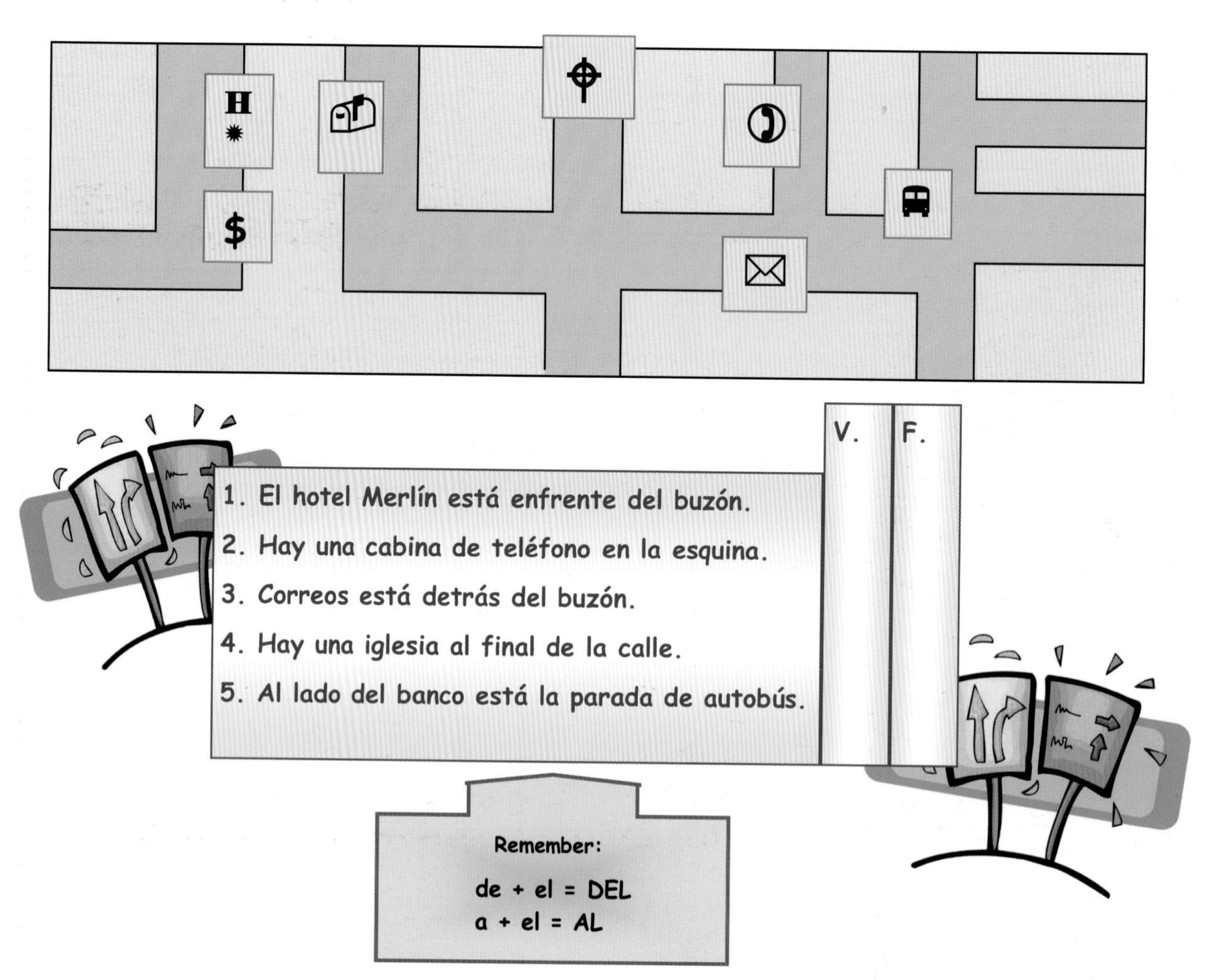

	V.	F.
1. El hotel Merlín está enfrente del buzón.		
2. Hay una cabina de teléfono en la esquina.		
3. Correos está detrás del buzón.		
4. Hay una iglesia al final de la calle.		
5. Al lado del banco está la parada de autobús.		

Remember:

de + el = DEL
a + el = AL

7. **Escucha y lee.** Listen and read.

Observa

Asking for and giving directions

	INFORMAL - tú	FORMAL - usted
PARA LLAMAR LA ATENCION to call for attention	Perdona, ... Oye ... Por favor, ...	Perdone, ... Oiga, ... Por favor, ...
PARA PREGUNTAR POR UN LUGAR to ask for directions	¿dónde está el/la ...? ¿dónde hay un/una ...?	
PARA INDICAR LA DIRECCIÓN to indicate the way	Mira, ... la primera/segunda/tercera (calle) a la derecha/izquierda. todo recto, ...	Mire, ...
PARA UBICAR UN LUGAR to locate the place	delante (de)..., detrás (de)..., al lado (de)..., entre ... y ..., en la esquina, enfrente (de)..., a la derecha (de)..., a la izquierda (de) ..., al final (de)	
PARA AGRADACER to thank	(Muchas) gracias	

8. Vuelve a leer los diálogos de la actividad 5 en la página 91 y di si son formales o informales. Read the dialogues in activity 5 on page 91 again and say if they are formal and informal.

FORMAL	E.g. A, ______, ______
INFORMAL	______, ______, ______

9. a. Completa el siguiente diálogo. Complete the next dialogue.

b. Ahora señala en el mapa donde está el cajero automático. Now mark on the map where the cash point is.

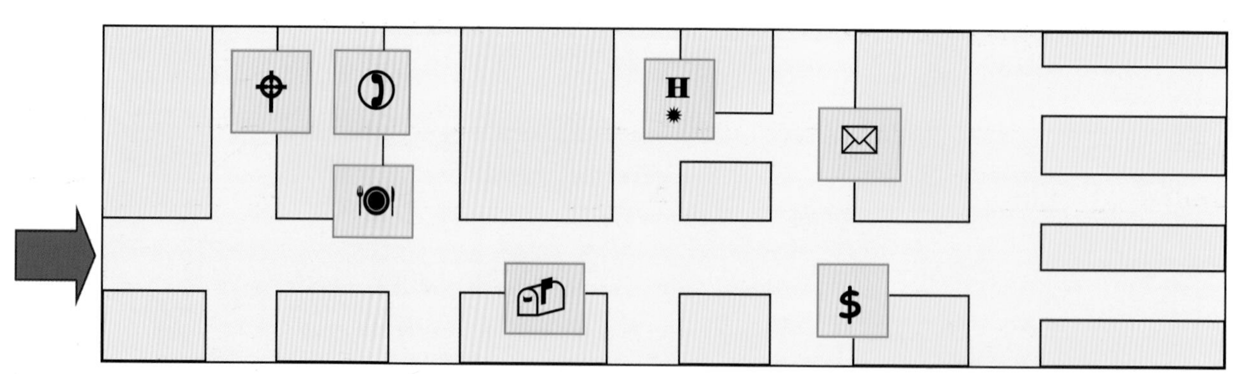

10. a. En parejas: A pregunta a B, formalmente, cómo llegar al banco; y B pregunta a A, informalmente, cómo llegar al hotel. In pairs: A asks B, formally, how to get to the bank; and B asks A, informally, how to get to the hotel .

b. Ahora, pregunta por otras direcciones utilizando el mapa. Now, ask for other directions using the map.

R 9

¿Qué hemos aprendido?

What have we learnt?

Contesta las siguientes preguntas. Answer the following questions.

1 Marca la opción correcta: [a. el Correos] [b. los Correos] [c. Correos] (1 p.)

¿Qué significa? ____________________ (1 p.)

2 ¿Cómo se dice en español: "on the right" , "on the left"?

a. On the right: ____________________ b. On the left: ____________________ (2 p.)

3 Elige la frase correcta: [ ] (1 p.)

a. ¿Dónde está el banco HSBC?; b. ¿dónde hay el banco HSBC?; c. ¿dónde está un banco HSBC?

4 ¿Cómo se dice en inglés "enfrente (de)"?

____________________ (1 p.)

5 ¿Cuándo queremos preguntar, qué se dice para llamar la atención de alguien?

Formal: 1. ____________________ 2. ____________________ (2 p.)

Informal: 1. ____________________ 2. ____________________ (2 p.)

¿ ? ?

Tu nota: ________ puntos

L 10

¿Cómo eres?

Describir físicamente a alguien
Comparar personas
Describir la ropa de alguien

What do you look like?

Describing someone's appearance
Comparing people
Describing someone's clothes

Nuevas palabras – new words

- (el) pelo
- (los) ojos
- (el) bigote
- (las) gafas
- (la) barba

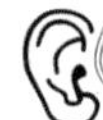

1. a. **Escucha y repite.** Listen and repeat.

   b. **Lee las frases y observa los dibujos. ¿Sabes ya el significado de las palabras del cuadro de arriba?** Read the sentences and look at the pictures. Do you already know the meaning of the words in the box above?

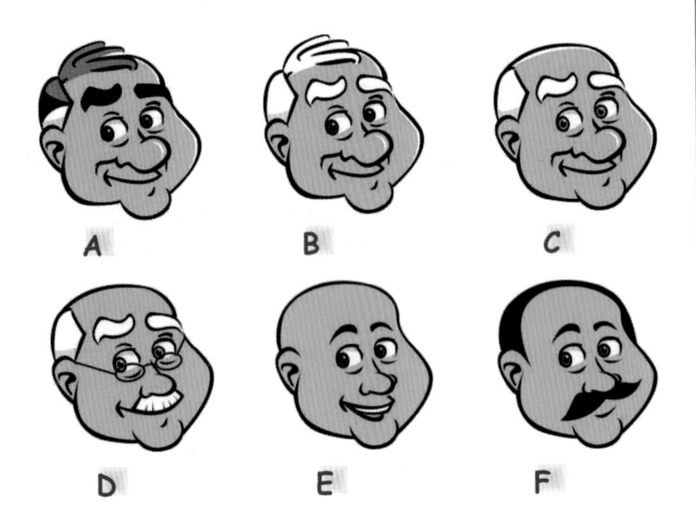

E **no** tiene **pelo**, es calvo.

F tiene **el pelo negro**.

A tiene **el pelo gris**.

B, C y D tienen **el pelo blanco**.

E tiene **los ojos verdes**.

C y D tienen **los ojos azules**.

A, B y F tienen **los ojos marrones**.

D lleva **gafas**.

D y F llevan **bigote**.

A, B, C, D, E y F **no** llevan **barba**.

Más palabras – more words

- (el) pelo liso
- (los) ojos claros
- (el) pelo rubio
- (el) pelo corto
- (los) ojos oscuros
- (el) pelo largo
- (el) pelo rizado
- (el) pelo moreno

2. a. **Escucha y repite.** Listen and repeat.

   b. **Utilizando un diccionario, encuentra otras tres parejas de contrarios.** Using a dictionary, find three other opposite pairs.

E.g. (el) pelo largo (el) pelo corto	____________ ____________	____________ ____________	____________ ____________

3. **Traduce las palabras en inglés al español.** Translate the English words into Spanish.

the hair	____________
blonde hair:	____________
dark hair:	____________
grey hair:	____________
white hair:	____________
black hair:	____________
straight hair:	____________
curly hair:	____________
short hair:	____________
long hair:	____________

the eyes	____________
light eyes:	____________
dark eyes:	____________
green eyes:	____________
blue eyes:	____________
brown eyes:	____________

others	
beard:	____________
moustache:	____________
glasses:	____________

4. **Observa los dibujos y di si si las siguientes frases son verdaderas o falsas. Escribe la descripción correcta debajo.** Look at the pictures and say whether the following sentences are true or false. Write the correct description below.

	V.	F.
1. **A** tiene el pelo largo y rizado.		
2. **B** tiene el pelo liso y los ojos oscuros.		
3. **C** y **B** tienen el pelo corto.		
4. **A** lleva gafas.		
5. **C** tiene los ojos azules.		
6. **C** tiene el pelo rubio y liso.		

____

____

____

____

Adjetivos para describir personas – adjectives to describe people

• gordo/a • delgado/a • viejo/a • joven
• guapo/a • feo/a • alto/a • bajo/a

5. a. **Observa los dibujos y asigna a cada uno un adjetivo.** Look at the pictures and match an adjective to each one.

   b. **Escucha y comprueba.** Listen and check.

6. **Lee las siguientes descripciones y escribe al lada de cada una el nombre de la persona a quien crees corresponde.** Read the descriptions below and write next to each one the name of the person you think it corresponds to.

1. No es joven, lleva gafas, es baja y delgada: Julia
2. No es ni joven ni viejo, no lleva gafas, es gordo y bajo: ____________
3. Tiene el pelo largo y rubio, es guapa, delgada y alta: ____________
4. No es rubio, lleva gafas, no es ni gordo ni delgado: ____________
5. Es alta y delgada, no lleva gafas y tiene el pelo liso: ____________

Observa

Describing people

TENER - to have		SER - to be	LLEVAR - to wear
el pelo	rubio - moreno - castaño	moreno/a - rubio/a	barba
	blanco - negro - gris	calvo/a	bigote
	corto - largo	pelirrojo/a	gafas
	rizado - liso	alto/a - bajo/a	
los ojos	claros - oscuros	gordo/a - delgado/a	
	verdes - azules	guapo/a - feo/a	
	marrones - negros	joven - viejo/a	

Notice that to describe hair colour, you can use the verb "ser" plus the adjective, for instance, "es rubio/a" or "es moreno/a" in place of "tiene el pelo rubio" or "tiene el pelo moreno".

Also, remember that the adjective used after the verb "ser" has to agree in gender, masculine or feminine, with the person described.

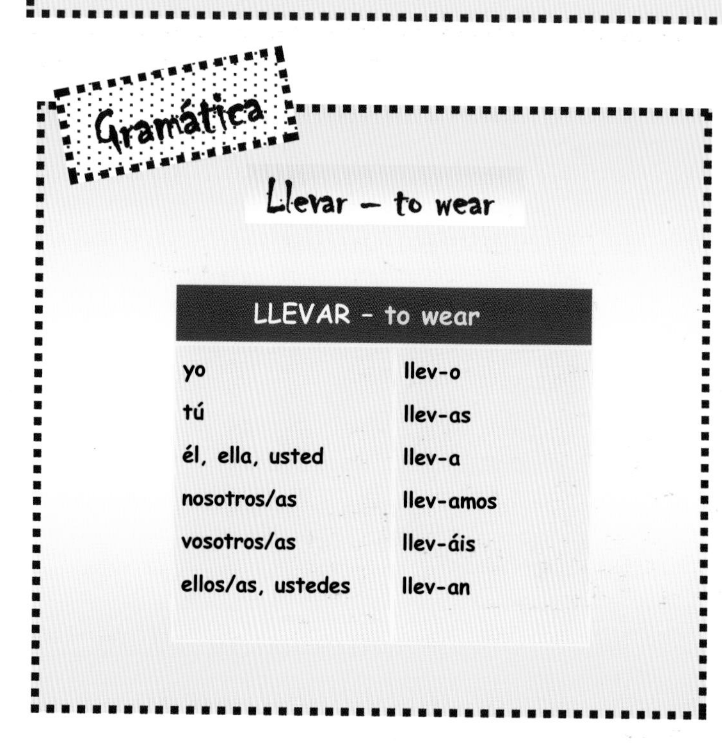

Gramática

Llevar – to wear

LLEVAR - to wear	
yo	llev-o
tú	llev-as
él, ella, usted	llev-a
nosotros/as	llev-amos
vosotros/as	llev-áis
ellos/as, ustedes	llev-an

7. **Describe a las dos personas del dibujo.** Describe the two people in the picture.

8. a. **Escucha a Clara hablar de sus compañeros de trabajo y escribe el nombre de cada uno de ellos.** Listen to Clara speaking about her workmates and write the name of each of them.

b. **Vuelve a escuchar a Clara y di si las siguientes frases son verdaderas o falsas.** Listen again to Clara and say whether the following sentences are true or false.

	V.	F.
1. Javier es el marido de Clara.		
2. Javier y Marina tienen tres niñas.		
3. Rafael y Eduardo son hermanos.		
4. Sofía tiene 35 años.		
5. Enrique es el jefe.		
6. Julián es peruano, de Lima.		

c. **Observa el dibujo y lee las siguientes frases. ¿Sabes qué significan?** Look at the picture and read the following sentences. Do you know what do they mean?

+
-
=

1. Julián es **más** calvo **que** Eduardo.
2. Marina es **tan** guapa **como** Sofía.
3. Sofía es **menos** joven **que** Clara.
4. Jacinto es **el más** gordo.
5. Rafael es **el menos** alto.

más

menos

tan

Gramática

Making comparisons of quality

To make comparisons of quality, Spanish uses the following structures with adjectives:

MÁS ... QUE...	more ... than ...	(+)	Julián es **más** calvo **que** Eduardo.
MENOS ... QUE ...	less ... than...	(-)	Sofía es **menos** joven **que** Clara.
TAN ... COMO ...	as ... as...	(=)	Marina es **tan** guapa **como** Sofía.

Adjectives are placed before the noun and must agree with the gender of the noun they are describing.

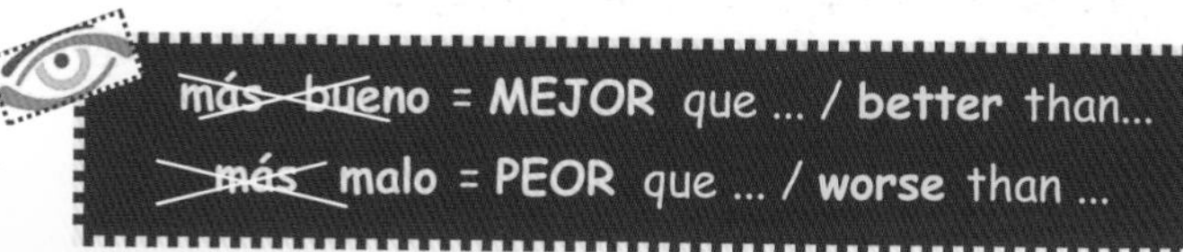

Superlatives

El MÁS ...	the most...	(++)	Jacinto es **el más** gordo.
EL MENOS	the least ...	(- -)	Rafael es **el menos** alto.

9. **Observa el dibujo y completa las frases utilizando todos los comparativos del cuadro.** Look at the picture and complete the sentences using all the comparatives in the box.

- el más ...
- menos ... que (x2)
- más ... que
- tan ... como
- el menos ...

E.g. Patricia es tan joven como Manuel y Ricardo.

A. Patricia es ______________ alta ____________ Manuel.

B. Ricardo es ____________________________ gordo.

C. Patricia es ______________ delgada __________ Manuel.

D. Ricardo es ____________________________ guapo.

E. Manuel es ______________ delgado __________ Ricardo.

F. Patricia es ______________ baja ____________ Ricardo.

10. Lee el siguiente texto y corrige los nueve errores que Miguel ha cometido describiendo a su familia en la foto. Read the text below and correct the nine mistakes that Miguel has made describing his family in the picture.

Hola a todos:

Me llamo Miguel, soy de Guadalajara, México, y esta es mi familia.
En el centro de la foto está mi hermana Mónica. Tiene el pelo corto y rizado, y los ojos oscuros. Al lado de ella está mi madre, se llama Verónica. Es muy guapa, delgada y alta, y tiene el pelo rubio y largo. Mi padre se llama Ramón, como mi abuelo, y está al lado de mi madre y delante de mi hermana. Es calvo y más alto que mi madre, pero menos guapo. Mi abuela Isabel está a la derecha de la foto; lleva gafas y tiene el pelo castaño y los ojos oscuros. A su lado está mi abuelo Ramón. No es ni gordo ni delgado; tiene los ojos marrones y el pelo oscuro; no es calvo, pero lleva bigote.
Y por último yo, en el centro de la foto. Como veis, soy bastante guapo, tengo los ojos oscuros y el pelo rubio, como mi madre. Soy el más pequeño de todos, tengo sólo cinco años y también soy el más travieso.

Miguel

11. **Observa a la familia Fernández en la foto y describe a cada uno de sus miembros.** Look at the Fernández family in the picture and describe each one of its members.

Esto es una foto de la familia Fernández:

____

____

____

____

____

____

____

____

____

Ropa – clothes

- (la) falda
- (el) pantalón
- (el) abrigo
- (la) chaqueta
- (los) zapatos
- (las) botas
- (la) camisa
- (el) vestido
- (la) corbata
- (el) jersey
- (la) camiseta
- (el) sombrero

12. a. **Escucha y repite.** Listen and repeat.

b. **Asocia las palabras con los dibujos.** Match the words with the pictures.

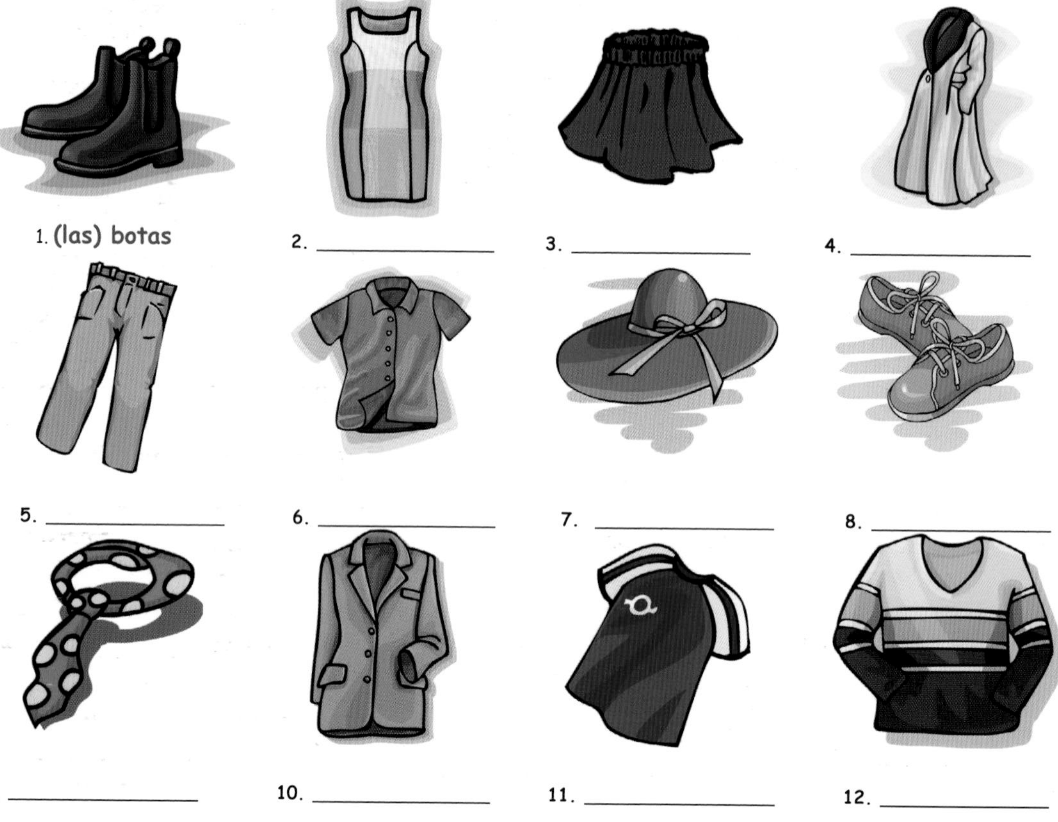

c. **Escucha y observa.** Listen and look at the pictures.

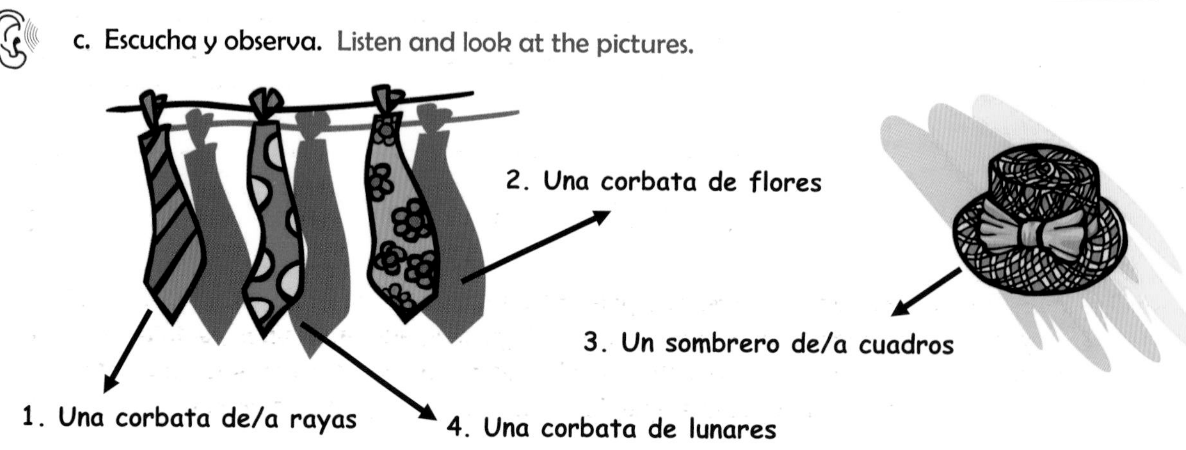

13. **Completa los cuadros con las palabras que faltan y escribe la letra correcta al lado de cada dibujo.**
Complete the gaps with the missing words and write the correct letter next to each picture.

1. A
2.
3.
4.
5.
6.
7.
8.
9.
10.
11.
12.
13.

A. un j e r s e y verde

B. un _ _ _ _ _ _ _ _ _ blanco

C. unos _ _ _ _ _ _ _ _ negros

D. un _ _ _ _ _ _ _ _ rosa de lunares

E. unos _ _ _ _ _ _ _ _ _ _ _ marrones

F. un _ _ _ _ _ _ _ azul

G. una _ _ _ _ _ _ _ morada

H. una _ _ _ _ _ _ roja

I. una _ _ _ _ _ _ _ _ rosa

J. unas _ _ _ _ _ _ naranja

K. un _ _ _ _ _ _ _ _ _ naranja

L. una _ _ _ _ _ _ _ _ _ gris de rayas

M. una _ _ _ _ _ _ _ _ _ amarilla de flores

Observa

A pair of trousers

In Spanish, there are different ways to refer to a pair of trousers. They are "un par de pantalones", "un pantalón" y "unos pantalones". All of them mean a single pair, although "unos pantalones" can also refer to more than one pair. Notice that, in all cases, the adjective that follows the noun agrees in gender and number with it, for example, "un pantalón verde", "unos pantalones verdes".

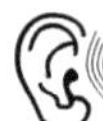

14. a. Escucha y repite los colores. Listen and repeat the colours.
    b. Ahora, asocia los colores de las dos columnas. Now, match the colours in the two columns.

1. amarillo	a. orange
2. azul	b. yellow
3. blanco	c. green
4. negro	d. grey
5. rojo	e. black
6. naranja	f. white
7. gris	g. brown
8. rosa	h. blue
9. marrón	i. red
10. morado	j. pink
11. verde	k. purple

c. ¿Sabes qué dos de estos colores son también sustantivos? Do you know which two of these colours are also nouns?

1. _ _ _ _ _ _ _ _

2. _ _ _ _

d. ¿Conoces algún otro color? Do you know any other colours?

____

____

____

____

Gramática

Colours

Colours used as nouns are always masculine. However, they can also behave as adjectives describing a noun. In this case, like other adjectives, they are placed after the noun they describe, and must agree with it in both gender and number.

	MASCULINO ♂		FEMENINO ♀	
SINGULAR	Ending in "- **o**"	el vestido roj**o**	Changes to "- **a**"	la falda roj**a**
PLURAL	Ending in "- **os**"	los vestidos roj**os**	Changes to "- **as**"	las faldas roj**as**
	UNA SOLA TERMINACIÓN - unchanging ending			
SINGULAR	Ending in "- **consonant**" or "**-e**" NO CHANGE el jersey/la falda marrón y verde			
PLURAL	Ending in "- **es**" NO CHANGE los pantalones/las faldas marron**es** y verd**es**			

Colours derived from nouns, such as "rosa"or "naranja", do not change their form for gender. However, sometimes, and depending on the speaker, they agree in number, singular or plural, with the noun being described. For instance, it can be said: "los pantalones rosa" or "los pantalones rosas". Both forms are considered correct.

15. Completa las siguientes frases con los colores que te indican los nombres de las prendas. Complete the following sentences using the colours shown in the names of the clothes.

1. María **lleva** al trabajo un vestido ____________ y unas botas ____________ .
2. Carlos y Alfredo **llevan** el mismo uniforme al colegio: un **pantalón** ____________, una **chaqueta** ____________ y una **corbata** ____________ .
3. En la fotografía, yo **llevo** un sombrero ____________ y mi hermana **lleva** un sombrero ____________ .

16. a. Escucha a Ester hablar de sus tres amigas y escribe el nombre de cada una de ellas. Listen to Ester speaking about her three friends and write the name of each one.

b. Vuelve a escuchar a Ester y di si las siguientes frases son verdaderas o falsas. Listen again to Ester and say whether the following sentences are true or false.

1.

2.

3.

Irene

Mónica

Marta

	V	F
1. Marta es más alta que Irene.		
2. Irene y Mónica son hermanas.		
3. Marta lleva un vestido amarillo.		
4. Marta tiene 18 años.		
5. Mónica tiene los ojos verdes.		

Observa

The verb "llevar"

In Spanish the verb "llevar" is used to describe what a person is wearing. Notice that "lleva" can be translated as "wear" or "is wearing".

We have also used this verb on page 99 when describing people. Remember that "llevar" is a regular verb.

17. **En parejas (A y B). A: asigna un nombre del cuadro a cada una de las personas de la foto. Ahora, describe una por una a tu compañero; B: adivina el nombre de todos ellos.** In pairs (A and B). A: write the names from the box next to the people in the picture. Then, describe the people one by one to your partner; B: work out the names of the people.

E.g. Francisco es alto; lleva una camiseta amarilla y está al lado de Nuria.

R 10

¿Qué hemos aprendido?

What have we learnt?

Contesta las siguientes preguntas. Answer the following questions.

1 Escribe un adjetivo para describir a estas personas:

1. No tiene pelo: ______________ 2. Tiene el pelo rojo: ______________ (2 p.)

2 ¿Qué verbo utilizamos delante de "barba", "bigote", "gafas" para describir?

______________________________ (1 p.)

3 Escribe el contrario de los siguientes adjetivos.

a. alto: __________ b. guapo: ______________ c. gordo: ______________ (3 p.)

4 Juan es más alto que Rosa y Pedro es más alto que Juan, ¿quién es el más alto?

______________________________ (1 p.)

5 ¿Cómo se dice en español...

a. "a pair of pink trousers": ______________ b. "a green skirt":______________ (2 p.)

6 ¿Cuál es tu color favorito?

______________________________ (1 p.)

¿ ?

Tu nota: _______ puntos

L 11

Mi casa

Describir y comparar casas
Alquilar una vivienda
Números: 100 - 1000

My house

Describing and comparing homes
Renting accommodation
Numbers: 100 - 1000

Nuevos adjetivos – new adjectives

- acogedor(a)
- luminoso/a
- lujoso/a
- nuevo/a
- oscuro/a
- viejo/a
- moderno/a
- pequeño/a
- antiguo/a
- espacioso/a
- frío/a
- barato/a
- sencillo/a
- caro/a

1. a. Escucha y repite los adjetivos. Listen and repeat the adjectives.
   b. Forma siete parejas de adjetivos contrarios. Form seven pairs of opposite adjectives.

1. E.g. acogedor(a) / frío/a	
2. ____________ / ____________	5. ____________ / ____________
3. ____________ / ____________	6. ____________ / ____________
4. ____________ / ____________	7. ____________ / ____________

2. Describe tu apartamento o casa ideal. Describe your ideal apartment or house.

Mi casa ideal es: luminosa, ____________________________

Mi apartamento ideal es: luminoso, ____________________________

Partes de la casa – parts of the house

- (el) dormitorio
- (la) cocina
- (el) salón
- (el) cuarto de baño
- (el) comedor
- (el) pasillo
- (el) balcón
- (la) terraza

3. a. Escucha y repite. Listen and repeat.

   b. Utilizando un diccionario, encuentra el equivalente en español de las siguientes palabras en inglés.
   Using a dictionary, find the Spanish equivalents of the English words below.

1. the kitchen: ____________________
2. the bedroom: ____________________
3. the sitting room: ____________________
4. the dining room: ____________________
5. the bathroom: ____________________
6. the balcony: ____________________
7. the terrace: ____________________
8. the corridor: ____________________

¿Sabes que...?

House or apartment?

Unlike in Britain, most Spanish and Latin American people live in "pisos". "Un piso", called "un departamento" in most Latin American countries is a flat, usually found in an urban area. It is rare for blocks of flats located in city centres to have green space around them. However, flats on the outskirts of cities often have shared areas: gardens, tennis courts, swimming pools, etc...

"Un apartamento" is used by Spaniards to describe a small flat in a tourist or holiday area. Many have shared gardens, pools and play areas for children.

En las habitaciones de la casa – in the rooms of a house

- (el) armario
- (el) frigorífico
- (la) cama
- (el) sillón
- (el) lavavajillas
- (el) lavabo
- (la) alfombra
- (la) lavadora
- (las) cortinas
- (la) mesilla
- (la) mesa
- (la) cocina eléctrica/de gas
- (la) ducha
- (la) bañera
- (la) silla
- (la) lámpara
- (el) espejo
- (el) váter
- (el) microondas
- (el) sofá

4. a. Escucha y repite. Listen and repeat.
   b. Asocia las palabras con los dibujos. Match the words with the pictures.

5. **Identifica los dibujos y escribe el nombre de cada una de las partes de la casa.** Identify the pictures and write the name of each room in the house.

1. ____________________

2. ____________________

3. ____________________

4. ____________________

5. ____________________

6. **Observa los dibujos y completa las cuadros.** Look at the pictures and complete the boxes.

(En) el salón hay/tiene: ____

(En) la cocina no hay/no tiene: ____________________________________

(En) el comedor hay/tiene: ____

(En) el cuarto de baño no hay/no tiene: ______________________________

(En) el dormitorio hay/tiene: _______________________________________

Números (del cien al mil) – numbers (from one hundred to one thousand)

100	cien	645	seiscientos cuarenta y cinco
201	doscientos uno	756	setecientos cincuenta y seis
312	trescientos doce	867	ochocientos sesenta y siete
423	cuatrocientos veintitrés	978	novecientos setenta y ocho
534	quinientos treinta y cuatro	1000	mil

7. Escucha e identifica los números. Listen and look at the numbers.
8. ¿Recuerdas los símbolos de las siguientes monedas? Relaciona cada divisa con un símbolo. Do you remember the symbols of the following currencies? Match each currency with a symbol.

- (el) euro
- (la) lempira
- (el) nuevo sol
- (el) peso

€	S/.	$	L$
1. (el) euro	2. ______	3. ______	4. ______

9. a. Completa los cuadros de abajo con las cifras que faltan. Complete the table below with the missing numbers.

b. Elige una de las líneas del tablero, azul, blanca, verde o amarilla. Escucha y tacha los números que oigas y cuando completes la línea, di en alto ¡LINEA! Choose one of the lines of the card, blue, white, green or yellow. Listen and cross out the numbers you hear and when you complete the line, shout LINEA!

203 L$ doscientas tres	411 £ cuatrocientas once	330 € trescientos treinta	214 $ doscientos catorce
______ £ setecientas cuarenta	______ £ quinientas treinta	______ $ cuatrocientos doce	______ € ciento veintidós
______ £ ciento setenta y una	______ £ ciento setenta	______ L$ trescientas cuarenta	______ $ ochocientos tres
______ $ doscientos diecisiete	______ € doscientos setenta	______ £ seiscientas tres	______ L$ trescientas trece

Numbers

NÚMEROS - numbers 100 - 199	These numbers do NOT change the HUNDRED in agreement with the nouns, for instance, CIENTO treinta euros; CIENTO treinta libras.
NÚMEROS - numbers 200 - 999	These numbers do change the HUNDREDS in agreement with the nouns, for instance, TRESCIENTAS dos libras; TRESCIENTOS dos euros.

Be aware that any number ending in ONE "UN(-O)/UN(-A)" agrees in gender with the following noun, for instance, 31, treinta y UNA libras; treinta y UN euros; 201, doscientas UNA libras; doscientos UN euros.

Notice that in English, we use "AND" after the hundreds, for instance, "one hundred AND thirteen". However, in Spanish we do NOT, and instead we say: "ciento trece".

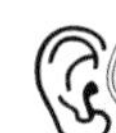

10. a. Completa y después contesta las preguntas. Complete and then answer the questions.
b. Escucha y comprueba. Listen and check.

1. ¿Cuánt**as** lempir**as** cuesta **el** lavabo? — Seiscientas veinte lempiras
2. ¿Cuánt**as** libr**as** cuesta __ ____? ________________
3. ¿Cuánt**os** _____ cuesta la lámpara? ________________
4. ¿Cuánt**os** _____ cuesta __ ____? ________________
5. ¿Cuánt**o** (diner**o**) cuesta __ _____? ________________

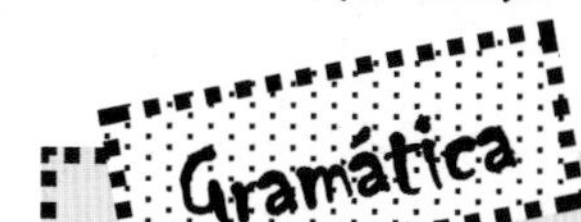

Asking how many/how much

"How much" and "how many" are used in Spanish in the same way as in English; however, remember that when followed by a noun, they must agree not only in number, but also in gender with that noun.

¿CUÁNTO/A + sustantivo? how much + noun?	**¿Cuánto** (dinero) cuesta la silla? **¿Cuánta** ropa hay en el armario?
¿CUÁNTOS/AS + sustantivo? how many + noun?	**¿Cuántos** euros cuesta la mesa? **¿Cuántas** libras cuesta la mesa?

11. Completa las siguientes frases con las palabras que faltan. Complete the next sentences with the missing words.

1. ¿ __Cuántas____ habitaciones tiene la casa?
2. ¿______________ dormitorios hay en el apartamento?
3. ¿______________ cuartos de baño hay en la casa?
4. ¿______________ armarios hay en la habitación?
5. ¿______________ camas hay en el dormitorio?

12. Escucha la siguiente conversación y subraya la información acerca del piso que se describe. Listen to the following conversation and underline the information about the flat that is being described.

1. ESTÁ: en el centro, a las afueras, al lado de la estación del tren, al lado del hipermercado.

2. ES: bonito, grande, acogedor, luminoso, oscuro, frío, moderno, nuevo, antiguo, pequeño.

3. El piso TIENE: tres dormitorios, dos dormitorios, un baño, un salón, un comedor, dos baños.

4. EN la cocina HAY: un frigórifico, un lavavajillas, una lavadora, un microondas.

5. TIENE: 120 m^2, 122 m^2, 90 m^2, 132 m^2, 81 m^2, 78 m^2.

6. CUESTA: 300 euros, 200 pesos, 450 euros, 430 euros, 345 pesos, 355 euros.

13. a. Lee los anuncios y añade los verbos que faltan. Read the adverts and add the missing verbs.
b. Escucha y comprueba. Listen and check.

A

ALQUILO CASA:

__________ sencilla, económica y acogedora.

__________ en el centro.

__________ 4 habitaciones y un baño (unos 200 m^2 aproximadamente).

En la cocina __________ frogorífico, horno y microondas.

Sólo __________ 800 €/mes.

B

ALQUILO PISO:

__________ moderno y lujoso y __________ a las afueras de Madrid.

__________ 110 m^2.

__________ 2 baños y 3 habitaciones.

__________ piscina comunitaria.

Solamente __________600 €/mes.

14. **Observa los anteriores anuncios y di si las siguientes frases son verdaderas o falsas.** Look at the previous adverts and say whether the following sentences are true or false.

	V	F
1. El piso es **más** lujoso **que** la casa.		
2. La casa tiene **tantos** baños **como** el piso.		
3. El piso tiene **tantas** habitaciones **como** la casa.		
4. El piso tiene **menos** metros cuadrados (m^2) **que** la casa.		
5. La casa es **menos** cara **que** el piso.		

Making comparisons of quantity

To make comparisons of quantity, we use nouns instead of adjectives, and some of the structures seen before on page 101 (más ... que, menos... que):

El piso tiene **más** metros cuadrados **que** la casa, (+)
La casa tiene **menos** baños **que** el apartamento, (-)

However, to make comparisons of equality, Spanish uses "tanto/a/os/as" agreeing in gender and number with the noun that it qualifies.

TANTO/A ... COMO as much ... as (=)	El piso tiene **tanta** luz **como** la casa. El piso tiene **tanto** encanto **como** la casa.
TANTOS/AS ... COMO as many ... as (=)	La casa tiene **tantos** baños **como** el piso. La casa tiene **tantas** camas **como** el piso.
TANTO (...) COMO ... as much (...) as (=)	El piso cuesta **tanto** (dinero) **como** la casa.

15. **Lee la siguiente conversación y compara el piso de Pepe y el apartamento de Lupe, completando las frases.** Read the next conversation and compare Pepe's flat with Lupe's apartment by completing the sentences below.

Vivo en un piso lujoso en el centro de la ciudad. Tiene 120 m^2, tres dormitorios, un salón y dos baños. Es todo exterior y tiene dos balcones y mucha luz. Cuesta 600 euros al mes. ¿Y tú, Lupe, dónde vives?.

Mi apartamento es sencillo, pero muy acogedor y está a las afueras. Tiene 80 m^2, dos dormitorios, un salón y dos baños. Es exterior y muy luminoso. Tiene dos balcones, y lo mejor de todo es que sólo cuesta 400 euros al mes.

- **luz** • **dormitorios** • **barato** • **lujoso**
- **baños** • **balcones** • ~~metros cuadrados~~

A. El piso de Pepe tiene **más** metros cuadrados **que** el apartamento de Lupe.

B. El apartamento de Lupe tiene **tantos** ______________ **como** el piso de Pepe.

C. El apartamento de Lupe es **más** ______________ **que** el piso de Pepe.

D. El piso de Pepe tiene **tantos** ______________ como el apartamento de Pepe.

E. El apartamento de Lupe tiene **tanta** ______________**como** el piso de Pepe.

F. El piso de Pepe es **más** ______________ **que** el apartamento de Lupe.

G. El apartamento de Lupe tiene **menos** ______________ **que** el piso de Lupe.

16. a. **Une las preguntas y respuestas de las dos columnas.** Match the questions and answers in the two columns.

b. **Escucha y comprueba.** Listen and check.

1. ¿Es exterior? → B	A. Unos 120 m^2.
2. ¿Cuánto cuesta?	B. Sí, da a una plaza.
3. ¿Está la cocina equipada?	C. Sí, completamente.
4. ¿Cuántos metros cuadrados tiene?	D. Sólo el gas está incluido en el precio.
5. ¿Cuántas habitaciones tiene?	E. Sólo la cocina y el salón.
6. ¿Está amueblado?	F. Tres, dos dormitorios y el salón.
7. ¿Están el gas y la electricidad incluidos?	G. 600 euros al mes.

Observa

Renting a house/flat

	CLIENTE - client	PROPIETARIO - landlord
only with flat or apartment	¿Es interior o exterior?	Es interior. Es exterior, da a una plaza, un parque, la calle principal.
	¿Cuántos metros cuadrados/ cuartos de baño tiene? ¿Cuántas habitaciones tiene?	Tiene ...
	¿Está (la casa/el apartamento) amueblado/a? ¿Está la cocina equipada?	No/ sí (totalmente/ parcialmente).
	¿Cuánto cuesta?	Cuesta ... euros al mes.
	¿Están el gas y la electricidad incluidos en el precio?	Sí/ no

17. Escucha cuatro conversaciones y completa el cuadro con la información que oigas. Listen to four conversations and complete the table with the information you hear.

	EXTERIOR/INTERIOR	METROS CUADRADOS	¿AMUEBLADO?	EUROS
1				
2				
3				
4				

18. a. Completa el siguiente diálogo. Complete the following dialogue.

b. Ahora, escucha la conversación y comprueba. Now, listen to the conversation and check.

19. En parejas (A y B): agente inmobiliario y cliente. El cliente pregunta al agente inmobiliario sobre las propiedades para alquilar, que aparecen en los anuncios de abajo, y juntos deciden cuáles son las más apropiadas deacuerdo con las preferencias del cliente. In pairs (A and B): estate agent and client. The client asks the estate agent about the properties available for rent, which appear in the adverts below, and together they decide which ones would be suitable given the client's requirements.

1. Se alquila piso

Muy céntrico, interior, con 4 dormitorios y salón (130 m²) . Totalmente amueblado.

Cocina equipada.
Precio económico (540 €/mes)

2. Se alquila casa

En las afueras, 3 dormitorios y salón (230 m²) .

Parcialmente amueblado.

Precio: 800 € / mes.

3. Se alquila piso

Céntrico y exterior,
2 dormitorios y salón (125 m²) .
Cocina parcialmente equipada.
Sin garaje.
Precio: 530 €/mes.

4. Se alquila apartamento

En las afueras, 2 dormitorios y salón (80 m²) .

Cocina totalmente equipada.

Precio: 400 €/ mes.

5. Se alquila piso

En el centro, todo exterior.

2 dormitorios y salón (130 m²) .
Sin amueblar. Con garaje.

Precio económico (540€/mes)

6. Se alquila casa

En lujosa urbanización.

4 dormitorios y salón (223 m²).
Con garage

Sin amueblar.

Precio: 720 €/ mes.

20. a. Lee los siguientes textos y relaciónalos con una de las cuatro fotos. Read the following texts and match them with one of the four pictures.

Vivo en un apartamento muy acogedor y moderno. Está en el centro de una pequeña ciudad, Logroño, muy cerca de una gran plaza, el Espolón. Mi apartamento tiene mucha luz porque es todo exterior: tiene un balcón que da a una calle principal, "la Gran Vía". Tiene dos dormitorios, salón, cocina y baño; en total tiene unos 60 m^2. Mi dormitorio está al lado del baño y enfrente del salón. Tiene una cama muy cómoda y un armario muy grande.

Vivo en un gran piso en la parte antigua de la ciudad. Es un piso exterior que da a una calle estrecha, algo ruidosa. Tiene unos 100 m^2 aproximadamente: cuatro dormitorios, salón, cocina y dos baños. El salón es mi habitacion preferida porque es grande y tiene mucha luz. Hay una gran mesa con seis sillas, un sofá, dos sillones, la televisión y una estantería con muchísimos libros.

Raquel

20. b. Compara el apartamento de Rosana con el piso de Raquel y decide cuál de ellos prefieres.
Compare Rosana's apartment with Raquel's flat and decide which of them you prefer.

E.g. El piso de Raquel es más grande que el apartamento de Rosana.

1

2

3

21. En parejas (A y B). A: elige una de las tres fotos y escribe una tarjeta a tu compañero, describiéndole tu nueva casa; B: lee la tarjeta y adivina a qué foto corresponde la descripción.
In pairs (A and B). A: choose one of the three pictures and write a postcard to your partner, describing your new home; B: read the postcard and guess which picture is being described.

Hola ____________:

Ahora vivo en ________________________

LOVE U 33¢

Un abrazo,

R11 ¿Qué hemos aprendido? What have we learnt?

Contesta las siguientes preguntas. Answer the following questions.

1 ¿En España, qué es normalmente más grande un apartamento o un piso?

______________________________ (1 p.)

2 Marca un objeto que no hay en la cocina. ¿En qué habitación de la casa está?

a. un lavavajillas b. una mesa c. una silla d. una lavadora e. un lavabo (1 p.)

______________________________ (1 p.)

3 Escribe los siguientes precios:

a. 21 £: ______________ b. 110 $: ______________ (2 p.)

b. 201 € : ______________ d. 340 L$: ______________ (2 p.)

4 ¿Cómo se dice en español "My flat overlooks a large square"?

______________________________ (1 p.)

5 ¿Cúal de las siguientes frases es gramaticalmente correcta? [ ] (2 p.)

a. Tu casa tiene tantas terrazas como mi casa.
b. Tu casa tiene tantos terrazos como mi casa.
c. Tu casa tiene tanto terraza como mi casa.
d. Tu casa tiene tanta terrazas como mi casa.

???

Tu nota: ______ puntos

L12

En mi tiempo libre

Pasatiempos
Expresar gustos
Expresar acuerdo y desacuerdo

In my free time

Pastimes
Expressing likes and dislikes
Agreeing and disagreeing

En mi tiempo libre – in my free time

- charlar con amigos
- bailar salsa
- ver la televisión
- leer novelas
- (la) música
- (los) animales
- jugar al fútbol
- (los) coches

1. a. Escucha y repite. Listen and repeat.
   b. Observa los dibujos y relacionalos con las palabras o frases del cuadro de arriba. Look at the pictures and match them with the words or phrases in the box above.

2. **Lee los anuncios de la sección "Correspondencia" de una revista.** Read the "Correspondence" section of a magazine.

Me llamo Luci y soy una mujer soltera, madre de una niña. Tengo 33 años y trabajo como recepcionista en un hotel. **Me gusta** mucho charlar con la gente, pero no tengo amigos. Los fines de semana **me gusta** ver la televisión, aunque prefiero ir al cine; **me encantan** las películas románticas. También **me gusta** leer novelas y revistas. La vida de los famosos **me interesa**.

¿Quieres conocerme?

Me llamo Laura y soy azafata de vuelo. Tengo 29 años y estoy soltera. Vivo en Madrid, pero siempre estoy de aquí para allá, así que tengo pocos amigos.
Me encanta viajar y **me interesan** especialmente los países exóticos.
Además **me gusta** mucho leer sobre otras culturas. En mi tiempo libre, **me encanta** bailar salsa. ¡Soy una mujer muy alegre!

¿Quieres conocerme?

Hola, me llamo Arturo y soy veterinario. Tengo 40 años y estoy divorciado.
Soy muy deportista y **me encanta** jugar al fútbol. Además **me gustan** muchísimo los coches, aunque mi auténtica pasión son los animales; tengo un perro, dos gatos y una tortuga. En mi tiempo libre **me encanta** ver documentales sobre animales.

¿Deseas conocerme?

3. **Completa el cuadro con la información de los textos y fíjate en las terminaciones de los verbos.** Complete the table with information from the texts and pay attention to the endings of the verbs.

	Luci	Laura	Arturo
me gusta/me interesa/ me encanta	charlar con la gente		
me gustan/me interesan/ me encantan			

Impersonal verbs: "gustar", "interesar", encantar"

In Spanish to say "I like music", we say "(a mí) me gusta la música", which literally means "music is pleasing to me". So, in Spanish, the subject of the sentence is the object (la música), and it is placed at the end: "(a mí) me gusta **la música**"; while in English, the subject is the person (I), and it is placed at the beginning: "**I** like music".

Even though in Spanish the subject comes at the end, the verb is conjugated to agree with it in number. When the subject is singular the verb ends in "**-a**", and when it is plural the verb ends in "**-an**", for example: "(a mí) me gust**a** **la música**" or "(a mí) me gust**an** **los coches**". We also need the pronoun of the person who likes something (**me, te, le, nos, os, le**) immediately in front of the verb.

OBJETO INDIRECTO indirect object	GUSTAR to like		INTERESAR to be interested in		ENCANTAR to like a lot/to love		SUJETO subject
a mí- to me	**me**	gusta (n)	**me**	interesa (n)	**me**	encanta (n)	
a ti- to you	**te**	gusta (n)	**te**	interesa (n)	**te**	encanta (n)	
a él/ a ella- to he/ to she	**le**	gusta (n)	**le**	interesa (n)	**le**	encanta (n)	**los coches**
a usted- to you (f.)	**le**	gusta (n)	**le**	interesa (n)	**le**	encanta (n)	
a nosotros/as- to us	**nos**	gusta (n)	**nos**	interesa (n)	**nos**	encanta (n)	**la música**
a vosotros/as-to plural you	**os**	gusta (n)	**os**	interesa (n)	**os**	encanta (n)	
a ellos/as- to them	**les**	gusta (n)	**les**	interesa (n)	**les**	encanta (n)	
a ustedes- to plural you (f.)	**les**	gusta (n)	**les**	interesa (n)	**les**	encanta (n)	

Notice that we have to say "**(a mí)** me gusta(n)/ **(a mí)** me interesa(n)/ **(a mí)** me encanta(n)" or just "me gusta(n)" etc. and we NEVER say "yo me gusta(n)", "yo me interesa(n)" or "yo me encanta(n)".

4. a. Completa las siguientes frases con uno de los tres anteriores verbos. Complete the next sentences with one of the three verbs listed above.

1. A los españoles **les encanta** la paella.
2. A los ingleses ________________ tomar té.
3. A mí no me ________________ la política.
4. A ti ________________ los museos.
5. A ella ________________ el cine.
6. A vosotros ________________ las plantas.
7. A nosotros ________________ los animales.
8. A Manuel ________________ las tapas.

b. Ahora completa las siguientes frases con sustantivos o nombres. Now complete the following sentences with nouns or proper nouns.

1. A mí me gusta **Javier Bardem**.
2. A los hombres les interesan ________________
3. A las mujeres les encanta ________________
4. A mi compañero le gusta ________________
5. A mi abuela le encantan________________
6. A los españoles nos gustan ________________
7. A ti te interesa ________________
8. A los escoceses les encantan ________________

5. a. **Asocia las dos columnas y forma frases.** Match the two columns and make sentences.
   b. **Encuentra una foto para cada frase.** Find a picture for each phrase.
   c. **Escucha y comprueba.** Listen and check.

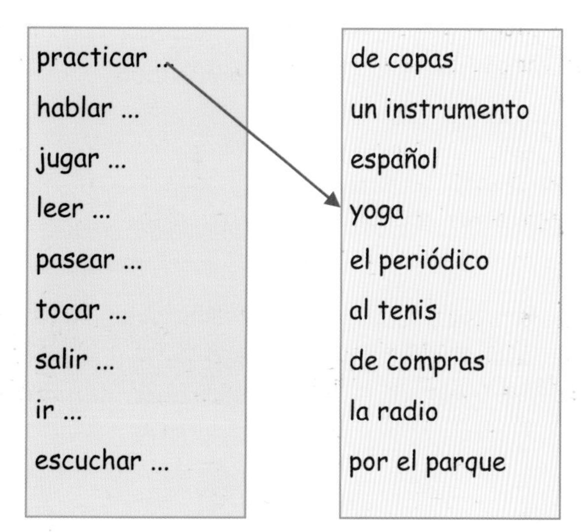

practicar ...	de copas
hablar ...	un instrumento
jugar ...	español
leer ...	yoga
pasear ...	el periódico
tocar ...	al tenis
salir ...	de compras
ir ...	la radio
escuchar ...	por el parque

1. practicar yoga - C
2. ____________________
3. ____________________
4. ____________________
5. ____________________
6. ____________________
7. ____________________
8. ____________________
9. ____________________

6. **Di tres cosas que te gusta hacer en tu tiempo libre.** Say three things that you like to do in your free time.

More regular and irregular verbs

As we have noted in previous lessons, the Spanish verbs can be either regular or irregular. The regular verbs follow the same pattern when they are conjugated; but the irregular verbs don't necessarily follow any pattern, although there are a few similarities in their conjugation.

These are some of the regular verbs already seen in this lesson:

PRONOMBRES	PRACTICAR - to practise	LEER - to read	HABLAR - to speak
yo	practic- **o**	le- **o**	habl- **o**
tú	practic- **as**	le- **es**	habl- **as**
él/ella, usted	practic- **a**	le- **e**	habl- **a**
nosotros/as	practic- **amos**	le- **emos**	habl- **amos**
vosotros/as	practic- **áis**	le- **éis**	habl- **áis**
ellos/as, ustedes	practic- **an**	le- **en**	habl- **an**

PRONOMBRES - pronouns	ESCUCHAR - to listen	TOCAR - to play	PASEAR - to walk
yo	escuch- **o**	toc- **o**	pase- **o**
tú	escuch- **as**	toc- **as**	pase- **as**
él/ella, usted	escuch- **a**	toc- **a**	pase- **a**
nosotros/as	escuch- **amos**	toc- **amos**	pase- **amos**
vosotros/as	escuch- **áis**	toc- **áis**	pase- **áis**
ellos/as, ustedes	escuch- **an**	toc- **an**	pase- **an**

See the irregular verbs, next:

PRONOMBRES - pronouns	IR - to go	JUGAR - to play	SALIR - to go out	VER - to see
yo	**voy**	**jueg- o**	**salg- o**	**veo**
tú	v- **as**	**jueg- as**	sal- **es**	v- **es**
él/ella, usted	v- **a**	**jueg- a**	sal- **e**	v- **e**
nosotros/as	v- **amos**	jug- **amos**	sal- **imos**	v- **emos**
vosotros/as	v- **ais**	jug- **áis**	sal- **ís**	v - **eis**
ellos/as, ustedes	v- **an**	**jueg- an**	sal- **en**	v- **en**

Notice that Spanish uses the verb **"tocar"** when talking about playing a musical instrument and **"jugar"** when playing a game. Also notice that the verb "ver" (to see) is used when talking about watching television or cinema, e.g. "me gusta mucho **ver la televisión**".

7. **Escucha con atención los siguientes diálogos y señala cuáles de ellos expresan acuerdo (A) y cuáles desacuerdo (D).** Listen carefully to the following dialogues and say which ones express agreement (A) and which ones disagreement (D).

- Me encanta bailar salsa.
- A mí, también. **1.** A

- Me interesa la política.
- A mí, no. **2.**

- No me gusta el fútbol.
- A mí, sí. **3.**

- No me gustan los animales.
- A mí, tampoco. **4.**

Observa

Expressing agreement and disagreement

• Me encanta bailar salsa. - A mí, **también**.	• **No** me gusta el fútbol. - A mí, **sí**.
• **No** me gustan los animales. - A mí, **tampoco**.	• Me interesa la política. - A mí, **no**.

Note that the English translation of "también" is "too/also" and of "tampoco" is "either/neither".

8. **Vuelve a leer los anuncios de la página 125 y di a quién de las tres personas te gustaría conocer y a quién no, y expresa tres razones.** Read the adverts on page 125 again and say which person you would like to get to know and which you would not, and give three reasons for each.

E.g. **Quiero conocer** a *Luci* **porque** *(no) le gusta leer novelas*, **y a mí** *también/tampoco*; **además** ...

Quiero conocer a ____________________ porque ______________________________

y a mí ______________________________; además ______________________________,

y a mí ____

No quiero conocer a ____________________ porque ______________________________

y a mí ______________________________; además ______________________________

y a mí ____

9. a. Lee las siguientes frases y completa el cuadro. Read the sentences below and complete the table.
   b. Escribe el nombre de estas personas al lado de sus correspondientes fotos. Write the name of these people next to their corresponding photos.

1. ____________

2. ____________

3. ____________

1. El español tiene 27 años.
2. A la argentina le encanta ir de compras.
3. A Silvia le gusta practicar yoga.
4. Silvia no es argentina.
5. Beatriz tiene 28 años.
6. La chilena tiene 32 años.
7. A Alberto le interesa el fútbol.

NOMBRE	NACIONALIDAD	EDAD	PASATIEMPO
____________	____________	____________	____________
____________	____________	____________	____________
____________	____________	____________	____________

10. a. Rellena los espacios en blanco con verbos. Fill the gaps with verbs.

b. Escucha y comprueba. Listen and check.

A. **Me encanta** _______ en la discoteca. [1]

B. **Me gusta** _______ por el parque. [ ]

C. **No me gusta nada** _____ el periódico. [ ]

D. **Me gusta mucho** ______ de copas. [ ]

E. **No me gusta** _________ la radio. [ ]

c. **Vuelve a escuchar las frases y asigna un número (1-5) a cada una de ellas. Número 1 para la que exprese mayor interés por la actividad y número 5 para la que exprese menor interés.** Listen again to the sentences and write a number (1-5) next to each of them, 1 being the phrase which expresses the most interest in an activity and 5 being the phrase which expresses the least interest.

d. **Ahora, observa el siguiente cuadro y fíjate en el orden correcto.** Now, look at the box below and take note of the correct order.

Observa

Expressing how much you like something

Here is a scale to express likes and dislikes in Spanish.

GRADOS DE INTERÉS - levels of interest	
Me encanta(n) ...	I love ...
Me gusta(n) mucho ...	I like ... a lot
Me gusta(n) ...	I like ...
No me gusta(n) ...	I don't like...
No me gusta(n) nada...	I don't like at all...

11. **Escoge cinco actividades de la lista de la página 127, y escribe cinco frases describiendo lo que te gusta y lo que no.** Choose five activities from the list on page 127 and write five sentences to describe your likes and dislikes.

1. Me encanta ______________________
2. ______________________
3. ______________________
4. ______________________
5. ______________________

12. a. **Escucha a las siguientes personas expresar sus gustos y completa el cuadro.** Listen to four people expressing their likes and dislikes and complete the table.

	Le encanta(n)	Le gusta(n)	No le gusta(n)
Teresa			
Rebeca			
Juan			
Álvaro			

b. **¿Con cuál de las anteriores personas te identificas más? Menciona dos razones utilizando las frases "a mí también" y "a mí tampoco".** Which one of the people above do you identify with most? Give two reasons using the phrases: "a mí también" and "a mí tampoco".

E.g. Con Teresa; a ella le encanta bailar y a mí también.

Con ______________________;

1. ____

2. ____

13. **Escribe un párrafo acerca de ti para la web "hablemos.org", describiendo lo que te gusta y no te gusta hacer en tu tiempo libre.** Write a paragraph about yourself for the website "hablemos.org", describing what you like and dislike doing in your free time.

Hablemos

Escríbenos

Pagina principal	Navegar	Chat	Blogs

Hola, me llamo ...

R12

¿Qué hemos aprendido?

What have we learnt?

Contesta las siguientes preguntas. Answer the following questions.

1 Completa las siguientes frases con un nombre o sustantivo.

a. Me interesan________________________ b. No me gustan nada ________________________ (2 p.)

2 ¿Qué dos verbos españoles significan "to play"? Escribe una frase con cada uno de ellos.

1. ________________ : ____ (1 p.)

2. ________________ : ____ (1 p.)

3 Expresa acuerdo o desacuerdo con las siguientes afirmaciones.

a. Me encantan las tapas: ____ (1 p.)

b. No me interesan las corridas de toros: ______________________________ (1 p.)

5 ¿Cómo se dice en español "I don't like at all"?

____ (1 p.)

4 Identifica los tres verbos irregulares.

a. practicar b. salir c. ir d. hablar e. pasear f. jugar g. escuchar

1. ______________________ 2. ______________________ 3. ______________________ (3 p.)

¿¿¿

Tu nota: ______ puntos

L13

Cada día

Preguntar y decir la hora
Hablar de la rutina diaria
Expresar frecuencia

Every day

Asking and telling the time
Talking about daily routine
Expressing frequency

¿Qué hora es?	
Es la una	Son las dos, tres ...

Es la una

Son las dos

1. **Escucha y observa.** Listen and look at the pictures.

Son las doce y cinco

... y cuarto

... y media

... menos cuarto

... menos diez

... en punto

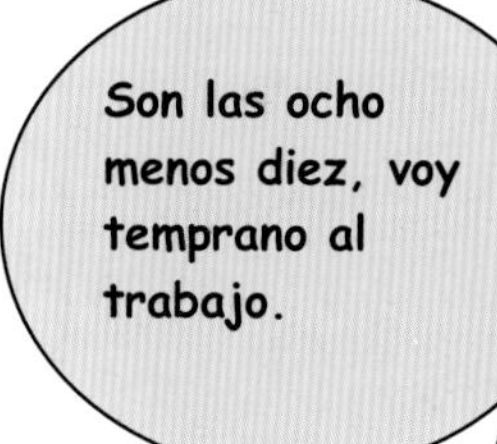

Observa

Asking and telling the time

PARA PREGUNTAR	PARA RESPONDER			
¿Qué hora es?	Es la una Son las dos tres, …	**en punto**		**de la** mañana **del** mediodía **de la** tarde **de la** noche
		y menos	dos, tres cuatro **minutos** diez **cuarto** veinte veinticinco	
		y media		

Remember: less than five minutes, add "minutos" to the number, e.g. "Es la una y dos **minutos**"

2. a. **Escribe la hora.** Write the time.
   b. **Escucha y comprueba.** Listen and check.

1. 12.05 pm: Son las doce y cinco del mediodía.
2. 12.45 pm: ______________________
3. 10.00 am: ______________________
4. 4.20 pm: ______________________
5. 11.45 pm: ______________________

3. **Escucha y escribe la hora que oigas.** Listen and write down the time you hear.

1. 12.10 pm
2. __________
3. __________
4. __________
5. __________
6. __________
7. __________

Algunos verbos – some verbos

- cenar (6.30 pm)
- acostarse (10.15 pm)
- volver a casa (5.30 pm)
- trabajar (8.00 am - 17.00 pm)
- desayunar (6.45 am)
- ducharse (6.15 am)
- salir de casa (7.30 am)
- levantarse (6.00 am)
- comer (12.15 pm)

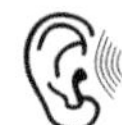

4. a. Escucha y repite los verbos. Listen and repeat the verbs.
   b. Observa los dibujos y asigna uno de los verbos del cuadro a cada uno. Look at the pictures and find an appropriate verb for each one.

1. ____________________
2. ____________________
3. ____________________
4. ____________________
5. ____________________
6. ____________________
7. ____________________
8. ____________________
9. ____________________

5. **Encuentra el equivalente en español para los siguientes verbos en inglés.** Find the Spanish equivalent for the following English verbs.

to get up	to return	to have breakfast	to leave/to go out	to have dinner
E.g. levantarse	2. ____________	3. ____________	4. ____________	5. ____________

to go to bed	to have a shower	to work	to have lunch
6. ____________	7. ____________	8. ____________	9. ____________

6. **Escucha y lee lo que hace Marta cada día y di sí o no a las frases.** Listen to and read what Marta does every day and say yes or no to the sentences.

¡Hola!, me llamo Marta, tengo 33 años y vivo en León, una pequeña ciudad del norte de España. Trabajo como dependienta en el Corte Inglés, unos grandes almacenes, y así transcurre un día normal en mi vida:

Me levanto temprano, a las 8 más o menos. **Me ducho** rápidamente y **desayuno** cereales con leche. **Salgo** de casa a las 9 y **trabajo** de 10 de la mañana a 8 de la tarde. **Como** aproximadamente a las 2.00 en una cafetería que está muy cerca del Corte del Inglés. **Vuelvo** a casa a las 8.30; **ceno** a las 9.30 y **me acuesto** sobre las 11.

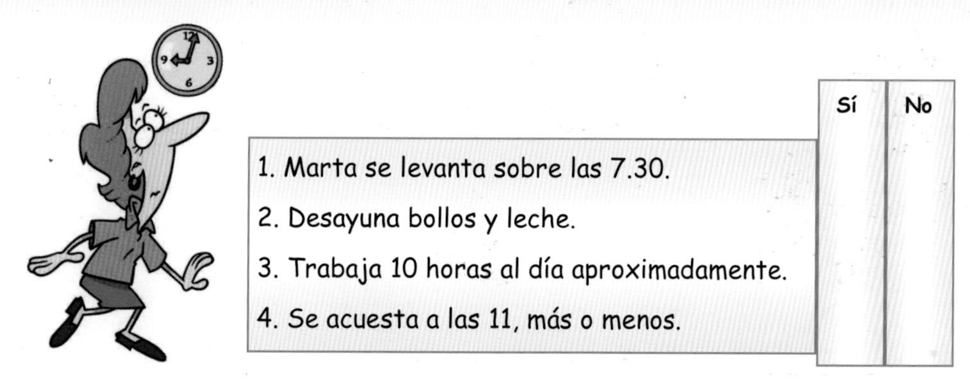

	Sí	No
1. Marta se levanta sobre las 7.30.		
2. Desayuna bollos y leche.		
3. Trabaja 10 horas al día aproximadamente.		
4. Se acuesta a las 11, más o menos.		

7. **Observa los verbos en negrita del texto anterior y colócalos debajo de su correspondiente infinitivo.** Look at the verbs in bold in the above text and place them under their corresponding infinitives.

comer	volver	salir	trabajar	cenar
1. como	2.	3.	4.	5.

desayunar	ducharse	levantarse	acostarse
6.	7.	8.	10.

Reflexive verbs

In Spanish, all reflexive verbs end in 'se'. This is how you identify them and their special pattern. Most reflexive verbs describe actions being done to yourself.

Once you have identified a reflexive verb, you know you need to use certain pronouns, called reflexive pronouns. These are "*me, te, se, nos, os, se*" and are placed immediately before the verb. The next step is to drop the 'se' from the end of the infinitive and then conjugate the verb normally. You will see that these verbs behave in exactly the same way as any other verb, apart from having the reflexive pronouns.

As well as being reflexive they can also be regular (ducharse) or irregular (acostarse).

LEVANTARSE - to get up		
yo	**me**	levant-o
tú	**te**	levant-as
él, ella, usted	**se**	levant-a
nosotros/as	**nos**	levant-amos
vosotros/as	**os**	levant-áis
ellos/as, ustedes	**se**	levant-an

DUCHARSE - to have shower		
yo	**me**	duch-o
tú	**te**	duch-as
él, ella, usted	**se**	duch-a
nosotros/as	**nos**	duch-amos
vosotros/as	**os**	duch-áis
ellos/as, ustedes	**se**	duch-an

ACOSTARSE - to go to bed		
yo	**me**	acuesto
tú	**te**	acuestas
él, ella, usted	**se**	acuesta
nosotros/as	**nos**	acostamos
vosotros/as	**os**	acostáis
ellos/as, ustedes	**se**	acuestan

Remember that the verbs: "llamarse" and "apellidarse", seen before, are also reflexive verbs. Other useful reflexive verbs are:

despertarse: to wake up.

lavarse: to wash (oneself).

vestirse: to get dressed.

bañarse: to have a bath, bathe, to go swimming.

afeitarse: to shave (oneself).

peinarse: to comb one's hair.

8. Escribe los pronombres reflexivos que faltan. Write the missing reflexive pronouns.

1. ___________ levanto a las 7.30 todos los días.
2. Jaime no ________ afeita los domingos.
3. Estos son mis primos: _______ llaman Raúl y Daniel.
4. ¿Cómo ___________ apellidas?
5. Fermín y Roberto no ____________ acuestan antes de las 12.
6. María y yo ___________ duchamos antes de acostarnos.
7. ¿A qué hora __________ acostáis generalmente?

More verbs

Remember that Spanish verbs can be either regular or irregular. Observe once again that regular verbs follow a predictable pattern when they are conjugated, while irregular ones don't.

These are the regular verbs you have seen in this lesson:

PRONOMBRES pronouns	DESAYUNAR to have breakfast	COMER to have lunch	CENAR to dinner
yo	desayun- **o**	com- **o**	cen- **o**
tú	desayun- **as**	com- **es**	cen- **as**
él/ella	desayun- **a**	com- **e**	cen- **a**
usted	desayun- **a**	com- **e**	cen- **a**
nosotros/as	desayun- **amos**	com- **emos**	cen- **amos**
vosotros/as	desayun- **áis**	com- **éis**	cen- **áis**
ellos/as	desayun- **an**	com- **en**	cen- **an**
ustedes	desayun- **an**	com- **en**	cen- **an**

Here are the irregular verbs:

PRONOMBRES pronouns	SALIR to leave/to go out	VOLVER to return
yo	salgo	vuelvo
tú	sales	vuelves
él/ella	sale	vuelve
usted	sale	vuelve
nosotros/as	salimos	volvemos
vosotros/as	salís	volvéis
ellos/as	salen	vuelven
ustedes	salen	vuelven

9. **Asocia las palabras o frases de las dos columnas.** Match the words or phrases in the two columns.

1. aproximadamente	A. around
2. a eso de	B. more or less
3. sobre	C. approximately
4. más o menos	D. about

10. **Completa el siguiente texto conjugando los infinitivos del cuadro.** Complete the following text by conjugating the infinitives in the box.

• cenar • trabajar (x 2) • volver • levantarse • salir • acostarse • comer

Carlos es español, está soltero y es agente de seguros. Vive en Oviedo, una pequeña ciudad en el norte de España, y así es un día normal en su vida:

____________ a las 7.15, enseguida se ducha y desayuna. **A eso de** las 8.30, ____________ de casa. Llega a la oficina a las 8.45 **aproximadamente**, y ____________de 9.00 a 1.30. A la 1.45 ____________ en un bar que hay al lado de la oficina de seguros donde trabaja. Regresa al trabajo a las 4.00 de la tarde y ____________ de 4.00 a 8.00. ____________ a casa a las 8.30; cocina algo y ____________ a las 9.30, **más o menos**. Después le gusta ver la televisión o leer el periódico. Por último, ____________, **sobre** las 12.

11. a. **Completa el texto con las horas que faltan.** Complete the text with the missing times.
    b. **Fíjate en la diferencia entre los dos horarios y coméntala.** Look at the difference between the two timetables and comment on it.

• 7.00 pm • 8.30 am • 7.30 pm • 7.30 am • 6.00 pm • 11.00 pm • 9.30 am

Yo me llamo Brenda y soy inglesa, tengo 28 años y vivo en Cambridge. Así es mi vida:
Me levanto **sobre** las ______________, después me ducho y desayuno un café con leche y tostadas. Generalmente salgo de casa a las ______________ y trabajo de ______________ a ______________ en un centro comercial en el centro de Cambridge. Cuando tengo tiempo, como un bocadillo y fruta. **A eso de** las ______________, vuelvo a casa después de mi clase de yoga. Preparo la cena y ceno a las ______________ **aproximadamente**. Me gusta ver un poco la tele o escuchar las noticias en la radio antes de ir a la cama. Me acuesto a las ____________, **más o menos**.

12. a. **Une las preguntas y respuestas de las dos columnas.** Match the questions and answers in the two columns.

b. **Escucha y comprueba.** Listen and check.

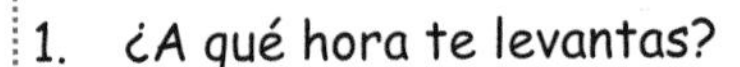

1. ¿A qué hora te levantas?
2. ¿Qué haces **por la** mañana?
3. ¿A qué hora sales del trabajo?
4. ¿Qué haces **por la** tarde?
5. ¿Qué haces **por las** noches ?
6. ¿A qué hora te acuestas?

a. **A las** 10.30 **de la noche**.
b. Trabajo en un supermercado.
c. **A las** 7.30 **de la mañana**.
d. **A las** 2 **del mediodía**.
e. Bailo salsa.
f. Estudio inglés en una academia.

Observa

Placing an action in the day

CUANDO SE ESPECIFICA LA HORA - when time is specified		
What time ... (do you get up)? ¿A qué hora ... (te levantas)?	At (one, two...) **A** la una ... **A** las dos, tres, ...	in the morning/evening/night. **de la** mañana/**del** mediodía/ **de la** tarde/**de la** noche.

CUANDO NO SE ESPECIFICA LA HORA - when time is not specified	
What do you do in the morning/afternoon...? ¿Qué haces **por la** mañana/**a** mediodía or **al** mediodía/**por la** tarde/**por la** noche?	In the morning, ... **Por la** mañana/**a** mediodía o **al** mediodía/**por la** tarde/**por** la noche ...

To express what time an action takes place, we use the preposition **"a"** followed by either **"la"** or **"las"** and the time, as described above. The prepositional phrases **"de la mañana"**, **"del mediodía"**, **"de la tarde"**, **"de la noche"** are used to refer to mornings, afternoons, evenings and nights.

However, notice that when the time is not specified, **"por la mañana"**, **"a/al mediodía"**, **"por la tarde"**, **"por la noche"** are used instead.

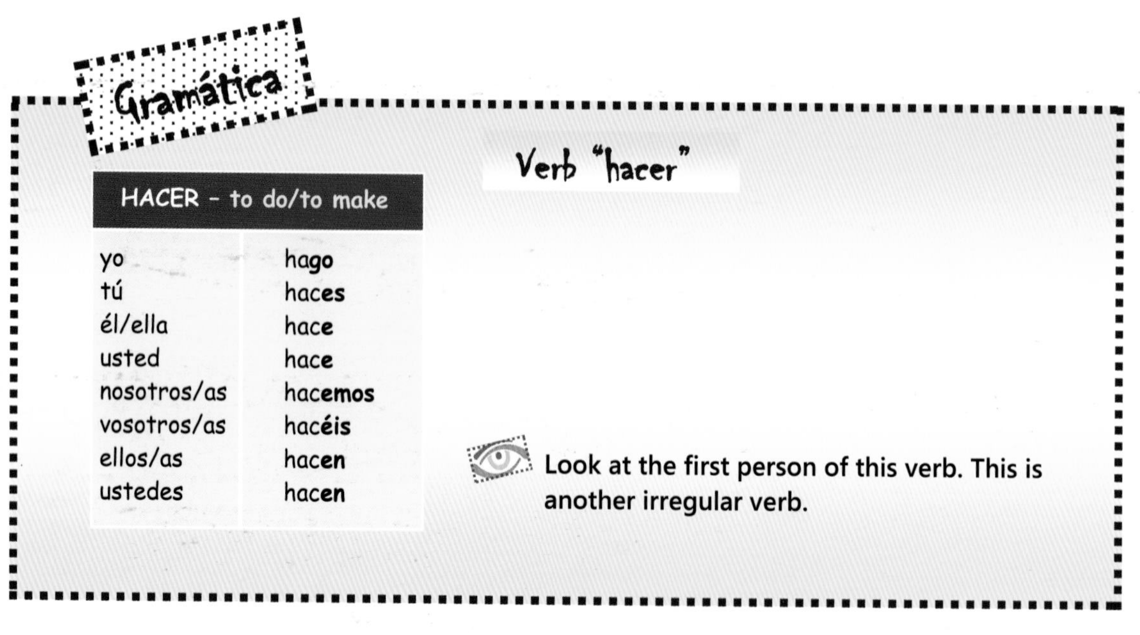

Gramática

Verb "hacer"

HACER – to do/to make	
yo	hago
tú	haces
él/ella	hace
usted	hace
nosotros/as	hacemos
vosotros/as	hacéis
ellos/as	hacen
ustedes	hacen

Look at the first person of this verb. This is another irregular verb.

Los días de la semana – the days of the week

• lunes • martes • miércoles • jueves • viernes • sábado • domingo

13. **Escucha y repite los días de la semana.** Listen and repeat the days of the week.

14. a. **Escribe las letras que faltan en los dos días de la semana de la agenda de Luisa.** Write the missing letters in the two days of the week in Luisa's diary.

b. **Escucha y completa la información que falta.** Listen and complete the missing information.

s _ _ _ d _	_ o _ _ _ _ o
8.00 am: me levanto.	9.00 am: me levanto.
8.30 am: ______________	9.30 am: ______________
10.00 am - 2.00 pm: trabajo en el super.	10.30 am - 12.00 am: ______________
2.30 pm: como en casa con mi familia.	2.00 pm: como en casa con mi familia.
4.00 pm: ______________	4.00 pm: ______________con mi amiga Petri.
5.00 pm: ______________	5.00 pm: ______________
8.00 pm: ceno con mis amigos.	8.00 pm: vuelvo a casa.
9.00 - 12.00 pm: ______________	9.00 pm: ______________
12.00 pm: escucho la radio.	10.00 pm: veo la tele.
12.30 pm: ______________	12.00 pm: me acuesto.

15. **Vuelve a escuchar a Luisa, ¿cuántas veces has oído cada uno de los siguientes adverbios?** Listen again to Luisa, how many times did you hear each of the adverbs below?

1. luego 3
2. primero ___
3. entonces ___
4. finalmente ___
5. después ___

Observa

Describing a sequence of actions

DESCRIBIR UNA SECUENCIA DE ACCIONES	
primero first (of all)	**después** after
finalmente, por último finally	**entonces, luego** then, next

The adverbs of sequence are used, like in English, when describing a process or sequence of actions, for instance when referring to a daily routine, e.g. "Por la mañana, yo **primero** me ducho y **después** desayuno; **luego** me lavo los dientes y **finalmente** salgo de casa".

16. **Completa las preguntas y contéstalas.** Complete the questions and answer them.

1. ¿_______ haces los lunes ______ la mañana?
   ____
2. ¿______ qué hora te acuestas los sábados?
   ____
3. ¿A _______ ________ cenas aproximadamente?
   ____
4. ¿Qué hora ______ en España ahora?
   ____
5. ¿______ haces los miércoles a las 5 ___ ___ tarde?
   ____

LOS LUNES, MARTES...

on Mondays, Tuesdays...

Observa

Spanish does not use any preposition in front of the days of the week, instead it places an article, "el" or "los".

Also note that the days of the week and the months of the year do not start with a capital letter.

17. a. **Rellena la agenda con las actividades que haces normalmente y la hora.** Fill in the diary with the activities you do in a normal day and when you do them.

b. **Ahora haz preguntas a tu compañero y completa la agenda con su información.** Now ask your partner questions and complete the diary with his/her information.

YO	
8.00	me levanto

MI COMPAÑERO/A	
7.30	se levanta

c. **Compara tu día con el de tu compañero y comenta las coincidencias.** Compare your day with your partner's day and comment on the similarities.

E.g. "Paul se acuesta a las 11 y yo TAMBIEN"

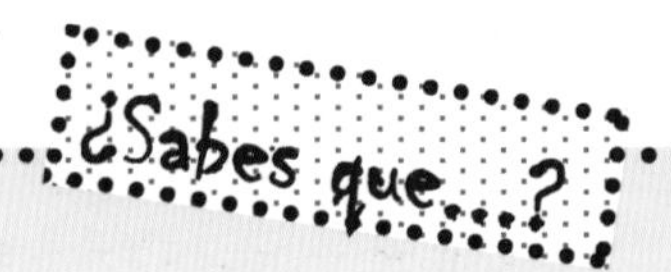

Working hours in Spain

Many Spanish businesses work from 9.00 or 10.00 am until 1.30 or 2.00 pm and then from 4.00 pm until 8.00 or 8.30 pm. During the midday break, shops and offices are closed and many Spanish workers return home to their families. The main meal of the day is eaten at lunchtime followed by a rest or short nap, called a "siesta". This is especially common in the south of Spain and Latin American countries where the weather is hot. Recently, however, many companies have become more "Europeanised" and work from 10.00 am to 6.00 pm.

No matter what their working pattern is, the Spanish are among the hardest working people in Europe, with some of the longest working hours. Generally men work 41.8 hours per week and women 39.8 hours.

18. **Lee el siguiente texto y responde las preguntas.** Read the following text and answer the questions.

La vida en España – life in Spain

Los españoles comenzamos el día a las siete u ocho de la mañana aproximadamente. Nos levantamos, nos duchamos, y luego desayunamos. **Normalmente** el desayuno consiste en un café con leche, tostadas o bollos y un zumo. Después salimos de casa y llegamos no **siempre** puntuales al trabajo.

Habitualmente, los españoles comemos tarde, sobre las dos o tres del mediodía. Los comercios y algunas empresas interrumpen el trabajo para comer y continúan a las cuatro o cuatro y media de la tarde, después de la siesta.

La comida es un tiempo importante para el español, que **frecuentemente** come en casa con su familia. La comida consiste en un primer plato, segundo y postre (**casi siempre** fruta). **A veces**, los españoles tomamos un café después de la comida, y **a menudo** tenemos tiempo para una corta siesta.

Volvemos al trabajo a eso de las cuatro o cuatro y media de la tarde, y trabajamos hasta las ocho más o menos. Cuando salimos del trabajo, muchos regresamos a casa y vemos la tele. Sobre las nueve cenamos en familia. La cena es sencilla; **generalmente**, consiste en algo ligero y fruta. Los españoles nos acostamos **casi siempre** tarde, **nunca** antes de las once.

Responde las preguntas – answer the questions:

1. ¿A qué hora comen los españoles?

____

2. ¿Dónde come el español?

____

3. ¿En qué consiste la cena?

____

4. ¿A qué hora se acuestan los españoles?

____

19. **Observa el anterior texto y completa los siguientes adverbios.** Look at the text above and complete the adverbs below.

(1) _ o _ _ _ _ _ _ _ t _ (2) a m _ _ _ _ _ (3) _ i _ _ _ r _ (4) _ _ _ _ a

(5) _ e _ _ r _ _ m _ _ _ _ (6) a _ e _ _ _ (7) _ r _ _ u _ _ _ _ m _ _ _ _

Observa

Expressing frequency

Here are some useful adverbs to use when talking about routines.

PARA EXPRESAR FRECUENCIA
siempre always
casi siempre almost always
generalmente, normalmente, habitualmente usually
frecuentemente frequently
a menudo often
a veces, algunas veces, de vez en cuando sometimes
casi nunca almost never
nunca never

una, dos, tres veces, ... por/a la semana; por/al mes; por/al año.
one, two, three times ... a week; a month; a year.
varias veces ... a few times ...

20. Entrevista a tus compañeros y encuentra a "el más madrugador", "el más trasnochador" y "el más trabajador". Interview your classmates and find the one who wakes up the earliest, the one who goes to bed the latest and the one who works the longest hours.

E.g.: ¿A qué hora te acuestas normalmente?

R13 ¿Qué hemos aprendido? What have we learnt?

Contesta las siguientes preguntas. Answer the following questions.

1 Escribe las siguientes horas.

1.05 pm: ______________________________ (1 p.)

10.45 am: ______________________________ (1 p.)

4.30 pm: ______________________________ (1 p.)

2 ¿Qué haces normalmente los lunes por la mañana?

______________________________ (1 p.)

3 Escribe un verbo reflexivo regular y un verbo reflexivo irregular.

a . ______________________________ ; b. ______________________________ (2 p.)

4 Escribe los últimos dos días de la semana.

______________________________ y ______________________________ (2 p.)

5 ¿Cómo se dice en español...

a. At six in the evening I practise yoga? ______________________________ (1 p.)

b. In the evening I practise yoga? ______________________________ (1 p.)

¿¿...??

Tu nota: ______ puntos

L14

¿Cuál es tu signo?

Describir personalidades
Hablar de cumpleaños
Opinar sobre el carácter de alguien

What is your sign?

Describing personalities
Talking about birthdays
Giving an opinion on someone's character

Adjetivos de personalidad – personality adjectives

- responsable
- honesto/a
- intelectual
- independiente
- romántico/a
- trabajador(a)
- hablador(a)
- sensato/a
- sensible
- soñador(a)
- diplomático/a
- apasionado/a
- obstinado/a
- curioso/a
- idealista
- original

1. a. Escucha y repite los adjetivos. Listen and repeat the adjectives.
   b. Encuentra un adjetivo para cada descripción. Find an adjective for each description.

1. Who is sincere: honesto/a
2. Who likes freedom: ____________________
3. Who is stubborn: ____________________
4. Who likes to talk: ____________________
5. Who does not like common things: ____________________
6. Who falls in love easily: ____________________
7. Who is eager to know: ____________________
8. Who enjoys working: ____________________
9. Who likes dreaming: ____________________
10. Who is sensible: ____________________
11. Who is emotional: ____________________
12. Who is enthusiastic, excited: ____________________
13. Who believes in utopia: ____________________
14. Who is highbrow: ____________________
15. Who is reliable, trustworthy: ____________________
16. Who is tactful: ____________________

Gramática

More endings for adjectives (gender and number)

	MASCULINO ♂		FEMENINO ♀	
SINGULAR	Ending in "- o"	romántico	Changes to "- a"	romántica
	Ending in "- or"	hablador	Adds "- a"	habladora
	UNA SOLA TERMINACIÓN - unchangeable ending			
	Ending in "- e, "-al", "-ista" NO CHANGE			
	un chico/ una chica inteligente, original, idealista			

	MASCULINO ♂		FEMENINO ♀	
PLURAL	Ending in "- os"	románticos	Changes to "- as"	románticas
	Ending in "- ores"	habladores	Changes to "- oras"	habladoras
	UNA SOLA TERMINACIÓN - unchangeable ending			
	Ending in "- es", "-ales", "-istas" NO CHANGE			
	unos chicos/ unas chicas inteligentes, originales, idealistas			

As we saw in Lesson 7, the adjectives change according to the gender of the noun to which they refer. However, remember that a few of them remain the same.
E.g. "María es muy **inteligente**, pero poco **trabajadora**"; "Juan es muy **trabajador**, pero poco **inteligente**".

2. a. **Elige tres adjetivos para describir a tu amigo/a ideal.** Choose three adjectives to describe your ideal friend.

1. ____________________

2. ____________________ 3. ____________________

b. **Elige dos adjetivos para describir tu personalidad.** Choose two adjectives to describe your personality.

Soy ____________________ y ____________________

c. **Ahora piensa en tu signo del zodiaco y búscalo en la tabla de la página siguiente. Observa si los dos adjetivos de tu signo coinciden con los que tú has escrito.** Now think of your zodiac sign and find it on the table on the next page. See if the two adjectives of your sign match the ones you have written.

¿Cuál es tu signo?- what is your sign?

Apasionados:

Aries: honesto/a
(21 de marzo- 20 de abril)

Leo: original
(23 de julio- 22 de agosto)

Sagitario: independiente
(23 de noviembre- 21 de diciembre)

Sensibles:

Piscis: romántico/a
(21 de febrero- 20 de marzo)

Cancer: sensible
(22 de junio- 22 de julio)

Escorpio: curioso/a
(24 de octubre- 22 de noviembre)

Intelectuales:

Acuario: idealista
(21 de enero- 20 de febrero)

Geminis: hablador(a)
(21 de mayo- 21 de junio)

Libra: diplomático/a
(23 de septiembre- 23 de octubre)

Sensatos:

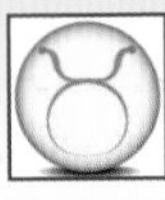

Tauro: obstinado/a
(21 de abril- 21 de mayo)

Virgo: responsable
(23 de agosto- 22 de septiembre)

Capricornio: trabajador(a)
(22 de diciembre- 20 de enero)

Observa

False friends

ESPAÑOL	SENSATO	SENSIBLE
inglés	sensible	sensitive

3. Escucha y completa el siguiente cuadro. Listen and complete the following table.

	NOMBRE	EDAD	CUMPLEAÑOS	SIGNO
1				
2				
3				
4				

Observa

When is your birthday?

PARA PREGUNTAR	PARA RESPONDER
¿Cuándo es tu cumpleaños?	**Mi cumpleaños es ...** el **17** de mayo el **1** de abril

Notice that Spanish uses cardinal numbers, while English uses ordinal numbers instead, for instance: "Mi cumpleaños es el **3** de marzo" instead of "my birthday is **3rd** of March".

Remember that the names of the months, unlike in English, do not begin with a capital letter.

4. Pregunta a tu compañero por su cumpleaños y adivina su signo. Ask your partner his/her birthday and guess his/her sign.

5. Lee las siguientes descripciones que algunas personas han escrito acerca de sí mismas. Escribe dos adjetivos y un signo del horóscopo al lado de cada persona. Read the following descriptions some people have written about themselves. Write two adjectives and a horoscope sign next to each person.

Hola — **La mejor forma de hacer amigos**

Pagina principal	Navegar	Chat	Blogs	Escribe ya

______	______	______

Hola, me llamo Marisa. Tengo 33 años y trabajo como dependienta en una floristería. Vivo en un pueblo tranquilo a las afueras de Madrid. No me gustan las ciudades grandes, prefiero el campo a la ciudad. Me encanta la música clásica, aunque mi auténtica pasión son las novelas románticas. Me gusta ir al cine a menudo. Mi actor favorito es Antonio Banderas, ¡es tan guapo...! ¿Quieres conocerme?

______	______	______

Hola me llamo Paula. Estoy soltera, tengo 30 años y soy relaciones públicas en una empresa de marketing. Todo lo relacionado con temas de actualidad me interesa. Leo todos los días el periódico, antes de acostarme, y escucho las noticias en la televisión. Me gusta estar muy al día de lo que ocurre en el mundo. Además me encanta reunirme con amigos para charlar; también adoro el arte y asisitir a toda clase de espectáculos. Una vez por semana voy al teatro, concierto o cine. ¿Deseas saber más sobre mí?

______	______	______

Hola, soy Carlos. Estoy casado y tengo dos hijos: Sara y Pablo. Tengo 32 años y vivo en una ciudad industrial en el norte de España. Tengo dos trabajos. Durante la semana soy contable y los fines de semana trabajo como camarero. Prefiero trabajar duro porque quiero comprar otro piso más grande. Mi horario es de 7.30 de la mañana a 9 de la noche y sólo descanso para comer. Soy una persona muy disciplinada y paso el poco tiempo libre que tengo con mi familia. ¿Te gustaría conocerme?

______	______	______

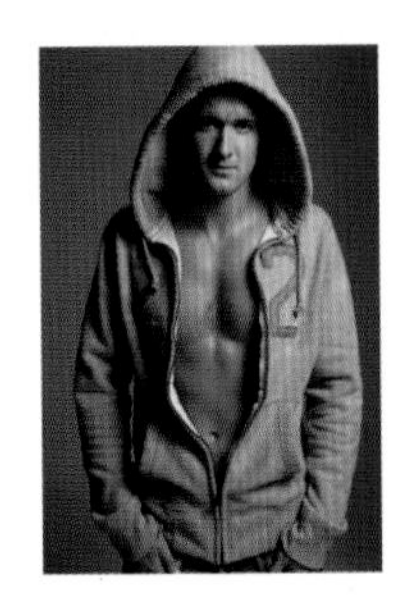

Hola, soy Arturo. Estoy soltero y tengo 24 años. Vivo con tres amigos en una gran ciudad. Voy todos los días al gimnasio después de desayunar. Me gusta comer sano y prefiero la dieta mediterránea a la comida rápida. Trabajo como modelo dos o tres días a la semana para una agencia de publicidad. Soy una persona apasionada y siempre estoy enamorado, aunque no salgo mucho tiempo con la misma chica. En mi tiempo libre, me gusta practicar deportes de riesgo. Prefiero aquellos que no practica mucha gente, como por ejemplo el puenting y la caída libre. Mi cumpleaños es en agosto. ¿Quieres conocerme?

6. **Vuelve a leer los textos anteriores y escribe un nombre o más en cada cuadro.** Read the previous texts again and write one or more names in the boxes.

1. Está casado/a: ____________________

2. Le gusta ir al cine: ____________________

3. **Prefiere** la dieta mediterránea: ____________________

4. Tiene menos de 30 años: ____________________

5. Lee el periódico todos los días :____________________

6. **Prefiere** trabajar duro: ____________________

7. **Prefiere** el campo a la ciudad: ____________________

Gramática

Verb "preferir"

PREFERIR - to prefer	
yo	prefiero
tú	prefieres
él/ella	prefiere
usted	prefiere
nosotros/as	preferimos
vosotros/as	preferís
ellos/as	prefieren
ustedes	prefieren

As you can see, the verb "preferir" is another irregular verb.

7. **Decide a cuál de las cuatro personas de la página 152 te gustaría conocer y escríbele un mensaje. Practica utilizando el verbo "preferir".** Decide who of the four people on page 152 you would like to meet and write him or her a message. Practise using the verb "preferir".

Pagina principal	Navegar	Chat	Blogs	Escribe ya

Hola, me llamo ...

8. **Observa a las personas de las fotos y escucha a alguien opinar sobre ellas. Marca en el cuadro lo que piensa de cada una.** Look at the people in these pictures and listen to someone giving an opinion on them. Tick the boxes in the table below.

	muy trabajador(a)	bastante responsable	algo original	nada sensato/a
Emma	✓		✓	
Susana				
Marta				
Olga				

Observa

Giving an opinion on someone's character

PARA OPINAR SOBRE EL CARACTER DE ALGUIEN		
* (No) parece He/she seems	una persona ... a person ... un chico/hombre ... a (young) man ... una chica/mujer ... a (young) lady ...	muy ... very ... bastante/un tanto ... quite ... algo/un poco ... a (little) bit ... * nada ... not at all ...

Notice that to reinforce the negativiness of a sentence using a positive adjective, we need "NO" in front of the verb, and "NADA" immediately before the adjective.

E.g. Susana ***no*** **parece** una mujer ***nada*** **sensata.**

9. a. **Utilizando otros adjetivos, expresa tu propia opinión acerca de las personas que aparecen en las anteriores fotografías.** Using other adjectives, express your own opinion about the people in the photographs above.

   b. **¿A cuál de ellas preferirías conocer?** Which of them would you prefer to meet?

R14 ¿Qué hemos aprendido? What have we learnt?

Contesta las siguientes preguntas. Answer the following questions.

1 Escribe tres adjetivos para describir tu personalidad.

1. ____________ 2. ____________ 3. ____________ (1 p.)

2 ¿Cómo se dice en español: 1. "a sensible man"; 2. "a sensitive woman" ?

1. ____________; 2 ____________ (2 p.)

3 Escribe la fecha de tu cumpleaños.

____________ (2 p.)

4 ¿Cuál es tu signo del zodiaco?

____________ (1 p.)

5 Expresa tu opinión acerca de los siguientes famosos hispanos.

1. Rafael Nadal: ____________ (1 p.)
2. Penélope Cruz: ____________ (1 p.)
3. Antonio Banderas: ____________ (1 p.)
4. Salma Hayek: ____________ (1 p.)

¿ ?

Tu nota: ______ puntos

Respuestas – answers

L.1 Hola (pág. 6)

1.b 1- Buenos días; 2- Hola; 3- Buenas tardes; 4- Hasta la vista; 5- Buenos noches; 6- Hasta pronto; 7- Adiós; 8- Hasta mañana; 9- Hasta luego.

4.a

1. ¿Y usted **como se llama**? **Me llamo** Cristina. **Bien, ¿y usted?**	2. ¿Y **tú**, cómo te llamas? **Me llamo** Javier. **Bien, ¿y tú?**

4.b 1- Formal; 2- Informal

5.

1- Hola, **me llamo** Sara **Bien, gracias, ¿y tú?**	2- **Hola,** me llamo Ana ¿y tú , cómo **te llamas?** **¿Qué tal** Ana?
3- ¿Y **usted,** cómo **se** llama? **Encantado/ Mucho gusto/ Igualmente.**	4- Hola, **me llamo** Raquel, ¿y tú, **cómo** te llamas? **Me llamo** Alejandro **Bien, gracias, ¿y tú?**
5- ¿y **usted** cómo **se llama?** **Me llamo** Carmen **Encantada/Mucho gusto**	6- **Hola, me llamo ...** **¿y usted, cómo se llama?** **Me llamo ...** **Mucho gusto/ Encantado/a**

7. A- Buenos días; B- Buenas tardes; C- Buenas noches; D- Buenas tardes; E- Buenos días; F- Buenas noches.

8.a 1-B; 2-A; 3-D; 4-C; 5-E

8.b. 1- Bien, (gracias), ¿y usted?;
2- Bien, ¿y tú?;
3- Me llamo..., igualmente/encantado-a/ mucho gusto.
4- ¡Adiós, hasta mañana!, ¡Adiós, hasta luego!
5- Hola, me llamo..., igualmente/encantado-a/ mucho gusto.

10. a-3; b-1; c-4; d-5; e-2

11. 1, 6, 17, 20, 13, 5, 16, 4, 11, 14, 12, 2 10, 3, 7, 18, 19, 8, 15, 9.

R.1 (pág. 13)

1. buenas tardes
2. chao/ chau
3. usted
4. diez, doce, catorce, dieciséis, dieciocho, veinte
5. otra vez, por favor.

L.2 ¡Qué pequeño mundo! (pág. 14)

1.b 1- Italia; 2- Marruecos; 3- Francia; 4- Rusia; 5- Chipre; 6- Irlanda; 7- Holanda; 8- Japón; 9- Escocia; 10- Egipto; 11- ?; 12- Grecia; 13- Inglaterra; 14- Estados Unidos; 15- Alemania; 16- México.

2.a España

4. 1- d; 2- h; 3- b; 4- f; 5- g; 6- a; 7- e; 8- c; 9- l; 10- i; 11- j; 12- o; 13- m; 14- n; 15- k; 16- s; 17- r; 18- p; 19- q.

6. 1- polaca/ Polonia (c); 2- nicaragüense/ Nicaragua (b); 3- costarricense/ Costa Rica (j); 4- brasileña/ Brasil (a); 5- danesa/ Dinamarca (i); 6- belga/ Bélgica (g); 7- argentina/ Argentina (k); 8- coreana/ Corea (d); 9- iraní/ Irán (f); 10- galesa/ Gales (e); iraquí/ Irak (h)

9. 1-F; 2-F; 3-V; 4-V

10.a. Me llamo... **(Paul)** ; Soy ... **(inglés)**; Vivo en ... **(Cambridge)**; Hablo ... **(inglés y español).**

b. Nombre: **Paul**
Nacionalidad: **inglés**
L. de residencia: **Cambridge**
Lenguas: **inglés y español**

11.b. 1- inglés; 2- Madrid; 3- Salamanca/Salamanca; 4- inglés y español/ español.

12. 1-B; 2-D; 3- A; 4- C

13. 1- ¿De dónde eres?; A- Soy español.
2- ¿Dónde vives?; Vivo en Barcelona.
3- ¿Cómo te llamas?; Me llamo Pedro.
4- ¿Qué lenguas hablas?; Hablo español.

14.

	Nombre	Nacionalidad	Ciudad	Lenguas
1	**Luís**	**portugués**	**Barcelona**	**portugués y español**
2	**Marta**	**española**	**Madrid**	**español y francés**
3	**Sener**	**turco**	**Barcelona**	**turco, español e inglés**

15.

Nombre	Nacionalidad	Ciudad	Otras lenguas
Laura	**española**	**Madrid**	**ruso y griego**
Miguel	**peruano**	**Murcia**	**francés**
Juan	**colombiano**	**Vigo**	**inglés y alemán**

16.b (Él/ella) **se llama** ...
(Él/ella) **es** ...
(Él/ ella) **vive** en ...
(Él/ella) **habla** ...

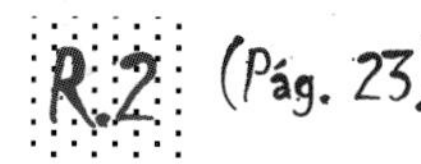

1. chino/**china/China/chino**
canadiense/**canadiense/Canadá/inglés y francés**
japonés/**japonesa/Japón/japonés**
italiano/**italiana/Italia/italiano**
francés/**francesa/Francia/francés**
nicaragüense/**nicaragüense/Nicaragua/español**
alemán/**alemana/Alemania/alemán**
chipriota/**chipriota/Chipre/griego**
ruso/**rusa/Rusia/ruso**

2. ¿Cuál es tu nombre?; ¿cómo te llamas?
3. Teresa, Manuel, Socorro, Dolores, Javier, Carmen

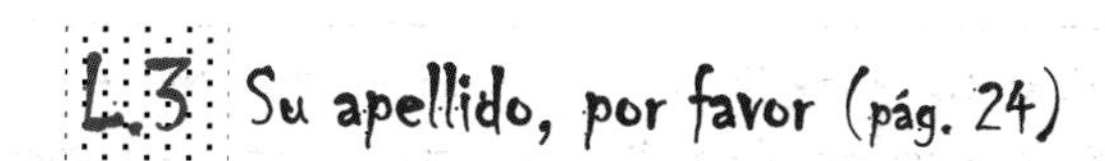

1.b. w, j, q, u, ñ, g

2.b. 1- Hernando; 2- Zurbarán; 3- Quintero.

4. 17 25 43 67 B; 13 45 45 56 V

5.a. Hola, buenos días, me llamo **Antonio.**
De segundo **Gutiérrez**
Se escribe **G-u-t-i-e-r-r-e-z**
Sí, claro **G-u-t-i-e-r-r-e-z**
Sí, **42796621 Q**

b. Antonio
Pérez
Gutiérrez
42796621 Q

6. 1-b; 2-d; 3-e; 4-a; 5-c

7. Correctos: **A, B, C**

8. 1. **¿Cómo se llama?**
Me llamo María
2. **¿Y cómo se apellida?**
Me apellido Pérez
3. **¿Cómo se escribe?**
P-e-r-e-z
4. **¿Cómo?, ¿puede repetir, por favor?**
Sí, P-e-r-e-z
5. **Muchas gracias**
De nada

9.a. Hola, Buenos días, ¿cómo se llama?
Me llamo Javier
¿(Y) cómo se apellida?
Me apellido Gómez Ezquerra.
Ah, ¿y cómo **se escribe**?
E-z-q-u-e-r-r-a.
¿Cómo? ¿Puede repetir, por favor?
Sí, E-z-q-u-e-r-r-a.
¿y su **número** de DNI?
16 56 78 99 W.
Muchas gracias.
De nada.

10.

	NOMBRE	APELLIDO(S)	DNI
1	Juan	García Haramburu	13 56 74 34 W
2	Daniel	Abad Abad	12 56 87 56 Y
3	Alex	Christopoulos	34 65 87 34

11. ¿Cómo se llama?
¿Cómo se apellida?
¿Y de segundo?
¿Cómo se escribe?
¿Cómo?, ¿puede repetir?
¿Su número de DNI, por favor?

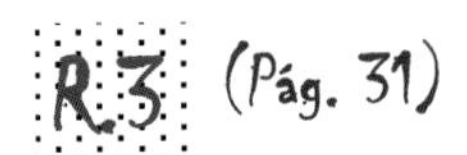

1. ñ
2. ¿Cómo se apellida (usted)?
3. Javier **García Velasco**
4. veintiuno, veintisiete, sesenta y siete, setenta y seis, treinta y cuatro, cien

L.4 En la oficina de empleo (Pág. 32)

2.b. 1- albañil; 2- veterinario/a; 3- cocinero/a; 4- maestro/a; 5- cartero/a; 6- camarero/a; 7- albañil; 8- agricultor (a); 9- médico/a; 10- pintor (a); 11- químico/a; 12- fontanero/a.

4.a. zapatero -1; camarero -2; cocinero -1,2; carnicero -1,2; decorador -2; cantante- 2; oficinista -1; contable-2

5. **Entrevistadora** ¡Hola, buenos días!
Desempleado ¡Hola, buenos días!
Entrevistadora ¿Cómo se llama?
Desempleado Me llamo **Nicolás**.
Entrevistadora ¿Y cómo se apellida?
Desempleado Me apellido **Zapatero,** Carrasco.
Entrevistadora ¿Cuál es su profesión?
Desempleado Soy **ingeniero** industrial.
Entrevistadora ¿Qué edad tiene?
Desempleado Tengo **43** años.
Entrevistadora ¿De dónde es?
Desempleado **Soy argentino,** de Buenos Aires.
Entrevistadora ¿Qué lenguas habla?
Desempleado Hablo **inglés** y francés.
Entrevistadora ¿Dónde vive?, ¿cuál es su dirección?
Desempleado Vivo en Madrid, en la avda. del Sol, **32**, 1° dcha.
Entrevistadora ¿Su número de teléfono, por favor?
Desempleado Sí, es el **93 34 56 76**
Entrevistadora ¿Y su correo electrónico?
Desempleado Abel007@rapido.es

6.	1	2
Nombre:	Mari Cruz	Alejandro
Apellidos:	Romero **Cerezo**	**Borreiro**
Profesión:	**contable**, ama de casa	**pintor** y decorador.
Edad:	**38** años	**33** años
Nacional.:	**española**, de Soria	**portugués**, Coímbra.
Lenguas:	**inglés**	español, **portugués y francés**
Dirección:	C/Mayor, 7, 2° izda.	Pza. del Este, 16, 5°dcha.
Tfno.:	**78 67 65 33**	**678 27 85 23**
Email:	Crucita@hola.es	**Alexdec@** mailexpress.com

7. avenida ~ avenue; calle ~ street; plaza ~ square

8.a. 1° ~ primero; 2° ~ segundo; 3° ~ tercero; 4° ~ cuarto; 5° ~ quinto; 6° ~ sexto; 7° ~ séptimo; 8° ~ octavo; 9° ~ noveno; 10° ~ décimo.

9.

	Dirección	Número	Piso	Código Postal
1	avda.	56	4° C	26007
2	c/	25	2° dcha.	24017
3	pza.	16	5° dcha.	

10. 1-c; 2-e; 3-b; 4-a; 5-d

11. 1-c; 2-d; 3-b; 4-a

13. 1: soy/trabajo
2: estudia/trabaja
3: tiene/tiene
4: estudia
5: tienes
6: eres/trabajas
7: médica/arquitecto
8: tengo/trabajo
9: tiene/trabaja
10: tiene

14.a. ...me llamo...
Me apellido...
¿...se escribe?
Soy...
...soy...
¿...dónde...?
Vivo...
¿...años tienes?
Tengo...
Hablo...
¿...teléfono...?
¿... es tu...?

14.c. Se apellida; Es; Es; Vive; Tiene; Habla; es; es

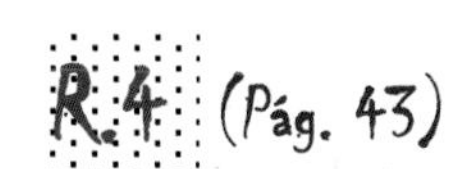

1. Ejemplo: camarero, cocinero, contable, cantante...
2. a. médica; b. oculista; c. dentista; d. escritora; e. cantante; f. decoradora.
3. ¿A qué te dedicas?
   ¿En qué trabajas?
   ¿Cuál es tu profesión?/¿qué haces?
4. Tengo...años
5. SEPE is the place where the unemployed in Spain can look for work, training courses and sign on for benefits.

1.b.

el abuelo	la abuela
el padre	la madre
el nieto	la nieta
el sobrino	la sobrina
el marido	la mujer
el hijo	la hija
el hermano	la hermana
el tío	la tía

2. 1- abuelo; 2- tía; 3- tíos; 4- sobrinas; 5- sobrino; 6- abuelos

3.a.

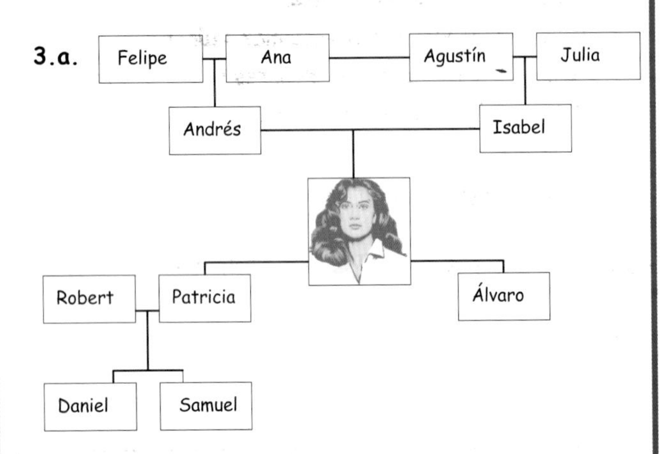

3.b. 1- sí; 2- no; 3- sí; 4- no; 5- sí; 6-no; 7-no; 8- sí; 9- no

4. Trabajar: él/ella trabaja; ellos/as trabajan
Vivir: él/ella vive; ellos/as viven
Tener: yo tengo; él/ella tiene; ellos/as tienen
Ser: él/ella es; ellos/as son

5. Belinda: ¿Oye, tú eres Consuelo, verdad?
Consuelo: Sí, ¿y tú Belinda, no?, ¿cómo **estás**?
Belinda: **Muy bien**. ¡Qué alegría cuánto tiempo sin vernos!
Belinda: ¿Oye, estás casada?
Consuelo: No, estoy divorciada y tengo dos hijos, Susana y Alejandro. ¿Y tú, estas casada?
Belinda: No, yo estoy soltera y no tengo hijos, pero tengo tres **sobrinos**, son los hijos de mi **hermano** Luís.
Consuelo: Ah, sí, lo recuerdo. ¿Y tus otros hermanos?
Belinda: Juanjo está soltero y vive en **Alemania** y Marisa está casada, pero no tiene hijos.
Consuelo: ¿Y **tus** padres, cómo están?
Belinda: **Mis** padres están bien. Viven en Marbella, ¿sabes? ¿Oye, tienes tiempo para un café?
Consuelo: Sí, claro, vamos, ¡tenemos tanto de qué hablar!

6.b. **/x/ - 1:** hijo, Julia, jardinero, Japón, Jiménez
/g/ - 2: griego, gracias, Portugal, Gales, García

7.a. 1- mis; 2- habla/trabaja; 3- son/tienen; 4- Mi/trabaja; 5- estudia/habla; 6- es/su/es; 7- vive/sus/viven; 8- tienen; 9-mis; 10- es/mis; 11- Mi/vive/trabaja

8. A. me llamo/ casado/ tu/ es/ se llama/ tenemos/ tiene/ tiene/ hablan/ trabajas/ soy/ es **(el padre)**
B. tengo/ vivo/ hablo/ tienes/ tu/ tiene **(la hija)**
C. te llamas/ me llamo/ vivo/ estás/ casada/ se llama/ se llama/ tenéis/ trabaja **(la abuela)**

9. Es la familia Velasco.

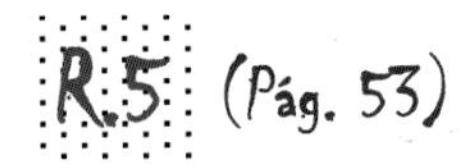

1. Actividad de respuesta abierta
2. el/ la/ las/ los
3. a. hijos; b. padres; c. hermanos
4. a. mis hermanos; b. mis sobrinas
5. a. soy/estoy soltero/a; b. soy/estoy divorciado/a

1.b. 1- pollo asado; 2- cerveza; 3- pan; 4- sopa; 5- ensalada; 6- tarta de chocolate; 7- vino; 8- pescado con patatas; 9- café; 10- paella; 11- agua mineral; 12- carne a la plancha; 13- fruta; 14- helado; 15: zumo de naranja.

2.a. **Primeros:** ensalada, sopa, paella
Segundos: pollo asado, pescado con patatas, carne a la plancha
Postres: tarta de chocolate, fruta, helado
Bebidas: vino, agua mineral, zumo de naranja

3. **1**- no; **2**- sí; **3**- no; **4**- no

5.a. 1-d; 2-f; 3-b; 4-c; 5-a; 6-e

6.b.

CONTABLES	INCONTABLES
(el) cuchillo	(el) aceite
(el) vaso	(el) pan
(la) taza	(la) sal
(el) encendedor	(la) mayonesa
(la) servilleta	(el) vinagre
(el) tenedor	(la) pimienta
(la) cuchara	(el) azúcar

7. 1. **Cuchara:** necesito una cuchara, por favor.
   2. **Mayonesa:** Necesito (un poco) más de mayonesa.
   3. **Pimienta:** Necesito un poco de pimienta.
   4. **Servilleta:** Necesito una servilleta, por favor.
   5. **Tenedor:** Necesito otro tenedor, por favor.

8. **De primero:** **1**- ensalada mixta; **2**- sopa
   De segundo: **1**- pollo asado con patatas; **2**- pescado con ensalada
   Para beber: **1**- agua mineral; **2**- vino de la casa
   De postre: **1**- un helado de chocolate; **2**- un café
   ¿Qué necesita?: **1**- un vaso; **2**- un poco más de aceite
   ¿Algo más?: **1**- no; **2**- un café

9. Actividad e respuesta abierta

10.a. 1-desea; 2- beber; 3-necesito; 4- comer; 5- quiere tomar; 6- quiero

11. **A.1** Hola, buenos días, ¿qué desea tomar?
   A.2. Quiero un **café** solo, por favor.
   A.3. Perdone, necesito otra **servilleta**.
   A.4. ¿Quiere algo más, señora?
   A.5. No, **gracias**
   B.1. Hola, buenos días, ¿qué desean tomar?
   B.2. Yo quiero un **té** con leche, por favor.
   B.3. Para mí, **un chocolate**.
   B.4. Perdone, necesitamos más **azúcar**.
   B.5. ¿Quieren algo más, señores?
   B.6. Sí, **la cuenta,** por favor.

12. Verbo irregular: **"querer"**

14.a. 1-c; 2-g; 3-e; 4-d; 5-a; 6-b; 7-h; 8-f; 9-i

15. 1-d; 2-a; 3-b; 4-c

17.

NOMBRE	PROFESIÓN	COMIDA	BEBIDA
Eduardo	jardinero	pescado frito	vino blanco
Cristina	recepcionista	paella	zumo de naranja
Rafaela	enfermera	pollo asado	agua mineral

 R.6 (Pág. 65)

1. b, e
2. **Ejemplo:** sopa, pescado frito, helado
3. a-c
   B: Necesito un poco (más) de... sal, pimienta, mayonesa o azúcar
4. ¿(Me trae) la cuenta, por favor ?/ A bit of the change in expensive restaurants.
5. El peso

L.7 Mi pueblo o ciudad (Pág. 66)

1.b. Está en el norte: **Venezuela**
Está en el sur: **Argentina, Chile, Uruguay**
Está en el este: **Uruguay**
Está en el oeste: **Colombia, Ecuador, Perú, Bolivia, Chile.**

Está en el noreste: -

Está en el noroeste: **Colombia, Ecuador, Perú**

Está en el sureste: **Uruguay, Argentina**

Está en el suroeste: **Chile**

2.b. feo/a- bonito/a

pequeño/a- grande

interesante- aburrido

moderno/a- antiguo/a

tranquilo/a- dinámico/a

3. 1- V; 2- F; 3- V; 4- F; 5- V; 6- F

4. Actividad de respuesta abierta, ejemplo:

Caracas es una ciudad **grande, bonita, interesante...**

Venezuela es un país **pequeño, interesante...**

Puerto Rico es un país **bonito, pequeño...**

Ecuador y Uruguay son unos países **bonitos, pequeños interesantes** ...

Madrid y Barcelona son unas ciudades **grandes, cosmopolitas, interesantes, dinámicas** ...

España es un país **interesante, bonito...**

Acapulco es un lugar **bonito, famoso...**

Bilbao es una ciudad **industrial, interesante** ...

Málaga es un lugar **bonito,** ...

5.

	Sevilla	Barcelona	Logroño	Salamanca	Bilbao
Norte		✓	✓		✓
Sur	✓				
Este					
oeste				✓	
Interesante	✓	✓	✓	✓	✓
Industrial		✓			✓
Grande	✓	✓			
Bonito/a	✓	✓		✓	
Antiguo/a	✓	✓		✓	

6. **1.** Barcelona **está** en el norte de España
Barcelona **es** una ciudad interesante, industrial, grande, bonita y antigua.

2. Logroño **está** en el norte de España.
Logroño **es** una ciudad interesante.

3. Salamanca **está** en el oeste de España
Salamanca **es** una ciudad interesante, bonita y antigua.

4. Bilbao **está** en el norte de España
Bilbao **es** una ciudad industrial e interesante.

Observa - Completa el cuadro:

SER is used to describe inherent characteristics.
ESTAR is used to indicate position and location.

7.b.

(el) monumento	(la) catedral
(el) museo	(el) puente
(la) iglesia	(la) playa
(el) puerto	(el) río
(la) universidad	(la) fuente
(la) plaza	(el) mercado

8.a. Actividad de respuesta abierta.

8.b. Madrid

9. Madrid

10. 1-D; 2-E; 3-A; 4-C; 5-B

11.a. 1-B; 2-A; 3-D; 4-E; 5-C

12. Actividad de respuesta abierta.

13.

	Santiago de Compostela	Córdoba	S. Sebastián	Valencia
¿Dónde está?	noroeste	sur	norte	este
¿Cómo es?	cosmopolita, bonita	bonita, pequeña antigua	bonita, pequeña, interesante	grande dinámica interesante
¿Qué hay/ tiene?	universidad	monumentos puente, río	bares, restaurantes, dos mercados	río, playa, museo, catedral
¿Por qué es famoso/a?	Catedral	Mezquita	Playa, la concha	Fallas

16.

	Lo bueno (+)	Lo malo (-)
MARÍA	los parques	el transporte
REBECA	las tiendas, los mercados	los aparcamientos
RAÚL	los monumentos	los turistas

17.b.

VENTAJAS	DESVENTAJAS	NEUTRAS
los espacios verdes	la contaminación	el turismo
los parques	el tráfico	los bares
el transporte público	el ruido	
la tranquilidad		
las instalaciones deportivas		
los hipermercados		

1. norte, sur, este, oeste, noreste, noroeste, sureste, suroeste
2. **Ejemplo:** a. España; b. Inglaterra
3. **Ejemplo:** cosmopolita, interesante, grande
4. a. Por la Torre Eiffel; b. Por sus canales/sus flores
5. es/está
7. **Ejemplo:** Lo mejor: los parques/Lo peor: el tráfico

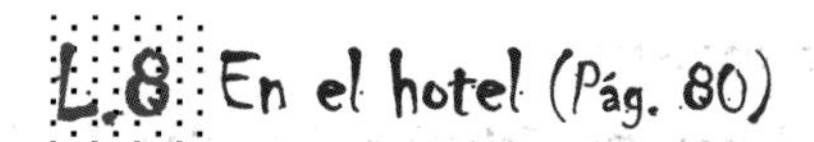

1.b.

cena	pensión completa
habitación doble	comida
habitación individual	noche
ducha	baño
desayuno	media pensión

2.

desayuno/ comida/ cena

habitación individual/ habitación doble

media pensión/pensión completa

4. **R.** ¡Hola, buenos días!, ¿qué desea?
C. Una habitación **individual**, por favor.
R. Muy bien, ¿para cuándo?
C. Para el **3** de marzo.
R. ¿Y para cuántas noches?
C. Para **2**.
R. ¿Con **baño** o sin **baño**?
C. Con **baño**, por favor.
R. ¿Media pensión **o pensión completa**?
C. **Media pensión.**
R. Su carnet de identidad, por favor.
C. Sí, aquí tiene.
R. Muchas gracias.

6. **2/2:** el dos de febrero
16/8: el dieciséis de agosto
1/11: el uno de noviembre
22/5: el veintidós de mayo
15/3: el quince de marzo
12/12: el doce de diciembre
1/1: el uno de enero
8/9: el ocho de septiembre

7. 1-B; 2-C; 3-D; 4-A

8.a. 1-C; 2.A; 3-E; 4-B; 5-F; 6-D

9.

	hab.	ind/doble	noches	con/sin baño	mp/pc/des.
1	1	doble	2	con	pc
2	2	dobles	3	1 con/1 sin	mp
3	3	ind.	1	con	des.
4	1	ind.	7	sin	des.

10.b. (el) aparcamiento, (el) ascensor, (el) aire acondicionado, (la) piscina, (el) solárium, (el) bar, (el) restaurante.

11.

	CON	SIN
Hotel Sol	piscina,/solárium/ restaurante	bar/ aparcamiento
Hotel Costa Blanca	piscina/ bar	aire acondicionado
Hotel Mediterráneo	aparcamiento	ascensor

13.a. - Hola, buenos días, ¿qué desea?

• Una **habitación** doble, por favor.

- Muy bien, ¿**para** cuándo?

• **Para** el siete de mayo.

- ¿Y **para** cuántos días?

• **Para** 3 días. **Del** siete **al** diez de mayo

- ¿**Con** baño o **sin** baño?

• Con baño, por favor.

- ¿**Media** pensión o pensión **completa**?

• Media **pensión**.

- Muy bien, su **carnet** de identidad, por favor.

• Sí, aquí tiene.

15. 1-C; 2-D; 3-B; 4-A; 5-E

16. A- El aire acondicionado no funciona.

B- La ducha no funciona.

C- No hay papel higiénico en el baño.

D- La habitación está sucia.

E- No hay luz en la habitación.

17.a

Apellido	N. de hab.	Queja
Sra. Núñez	606	El aire acondicionado no funciona.
Sr. Borges	525	La ducha no funciona.
Sra. Fuentes	767	No hay papel higiénico.
Sra. Aznar	213	No hay luz

b. 1-negativa; 2-positiva; 3- negativa; 4- positiva

1. a. desayuno, b. comida, c. cena

2. Una habitación doble con desayuno para tres noches.

3. 1. enero; 2. diciembre

4. 1. del ... al; 2. desde el... hasta el...

5. Desayuno y comida

6. La ducha no funciona.

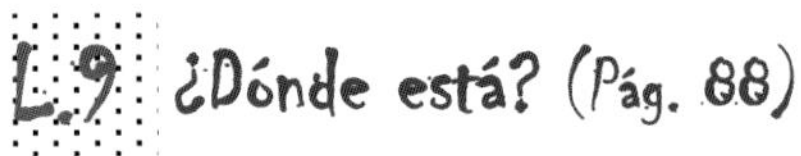

1.b. 1. (el) banco; 2. (el) restaurante; 3. Correos; 4. (la) comisaría de policía; 5. (el) supermercado; 6. (el) cajero automático; 7. (el) hospital; 8. (el) buzón; 9. (la) estación de tren; 10. (la) parada de autobús; 11 (la) farmacia; 12. (la) cabina de teléfono.

3. 1-A; 5-B; 2-C; 4-D; 3-E

4.a. A- la parada de autobús; B- el cajero automático; C- el banco; D- la comisaria de policía; E- la cabina de teléfono; F- la estación de tren.

b. 1-A; 2-D ; 3-B; 4-F; 5-E; 6-C

5.a. Al final (de)- at the end (of); en la esquina- on the corner; a la derecha (de)- on the right (of); delante (de)- in front (of); detrás (de)- behind; al lado (de)- next to; entre ... y...- between... and...; enfrente (de)- opposite...; a la izquierda (de)- on the left (of).

6. 1- V; 2-F; 3-F; 4-V; 5-F

8. FORMAL: A, C, F
INFORMAL: B, D, E

9.a. -**Perdona,** ¿dónde **hay** un cajero automático?
• Sí mira, ...
- **(Muchas) gracias.**
• De nada.

R.9 (Pág. 95)

1. c. Correos significa "post office"
2. 1. a la derecha; 2. a la izquierda
3. a: ¿dónde está el banco HSBC?
4. "enfrente de": opposite to
5. Formal: 1. Perdone...; 2. Oiga...
Informal: 1: Perdona,...; 2. Oye...

L.10 ¿Cómo eres? (Pág. 96)

2.b. (el) pelo largo/(el) pelo corto; (el) pelo rubio/(el) pelo moreno; (el) pelo rizado/(el) pelo liso; (los) ojos claros/ (los) ojos oscuros.

3.

the hair	el pelo
blonde hair:	pelo rubio
dark hair:	pelo moreno
grey hair:	pelo gris
white hair:	pelo blanco
black hair:	pelo negro
straight hair:	pelo liso
curly hair:	pelo rizado
short hair:	pelo corto
long hair:	pelo largo

the eyes	los ojos
light eyes:	ojos claros
dark eyes:	ojos oscuros
green eyes:	ojos verdes
blue eyes:	ojos azules
brown eyes:	ojos marrones

others	otros
beard:	barba
moustache:	bigote
glasses:	gafas

4. 1- V; 2-F; 3-V; 4-F; 5-F; 6-F
2. **B** tiene el pelo liso y los ojos azules.
4. **A** no lleva gafas/ **C** lleva gafas.
5. **C** tiene los ojos oscuros.
6. **C** tiene el pelo negro y rizado.

5.a. alto/bajo; gorda/delgado; guapa/fea; joven/ vieja.

6. 1- Julia; 2-Juan; 3- Pilar; 4-Eduardo; 5-Luisa

7. **Martín** es bajo y gordo. Tiene el pelo oscuro corto y liso. No lleva ni gafas, ni bigote, ni barba. No es ni joven ni guapo.
Simón es alto. No es ni gordo ni delgado. Lleva bigote barba y gafas. Es pelirrojo. Tiene el pelo largo y ondulado.

8.a. 1-Enrique; 2-Julián; 3-Sofía; 4-Eduardo; 5-Jacinto; 6-Rafael; 7-Javier; 8-Marina.

b. 1-F; 2-F; 3-V; 4-V; 5-V; 6-F

10. A- menos ... que; B-el más...; C-tan ... como; D-el menos...; E- más ... que; F-menos ... que.

10. **Hermana:** pelo corto (pelo largo)
Madre: pelo rubio (pelo moreno)
Padre: delante de... (detrás de); es calvo (no es calvo)
Abuela: a la derecha (a la izquierda); lleva gafas (no lleva gafas); a su lado está mi abuelo (al otro lado está mi abuelo).
Abuelo: lleva bigote (no llega bigote)
Miguel: pelo rubio (pelo moreno)

11. Actividad de respuesta abierta.

12.b. 1- (las) botas; 2- (el) vestido; 3- (la) falda; 4- (el) abrigo; 5- (el) pantalón; 6- (la) camisa; 7- (el) sombrero; 8- (los) zapatos; 9- (la) corbata; 10- (la) chaqueta; 11- (la) camiseta; 12- (el) jersey.

13. A-un jersey verde (1); B-un sombrero blanco (2); C-unos zapatos negros (8); D-un vestio rosa de lunares (3); E-unos pantalones marrones (13); F- un abrigo azul (4); G-una camisa morada (6); H- una falda roja (5); I-una corbata rosa (10); J- unas botas naranja (12); K-un pantalón naranja (9); L- una chaqueta gris de rayas (11); M-una camiseta amarilla de flores (7).

14.b. 1-b; 2-h; 3-f; 4-e; 5-i; 6-a; 7-d; 8-j; 9-g; 10-k; 11-c

c. 1. naranja; 2. rosa

15. 1- un vestido **verde/**unas botas **rojas**.
2- un pantalón **azul/** una chaqueta **gris/** una corbata **morada**.
3- un sombrero **rosa/** un sombrero **naranja**.

16.a. 1- Irene; 2- Mónica; 3- Marta

b. 1-V; 2-F; 3-F; 4-V; 5-F

R.10 (Pág. 109)

1. 1. calvo; 2. pelirrojo.
2. "llevar"
3. a. bajo; b. feo; c. delgado
4. Pedro
5. a. un pantalón/unos pantalones rosa(s).
b. una camiseta vede.
6. Respuesta abierta

L.11 Mi casa (Pág. 110)

1.b. 1- acogedor(a)- frío/a; 2- luminoso/a- oscuro/a; 3- lujoso/a- sencillo/a; 4-nuevo/a- viejo/a; 5- moderno/a- antiguo/a; 6- pequeño/a- espacioso/a; 7- barato/a- caro/a.

2. Actividad de respuesta abierta

3.b. 1- (la) cocina; 2- (el) dormitorio; 3- (el) salón; 4- (el) comedor; 5- (el) cuarto de baño; 6- (el) balcón; 7- (la) terraza; 8- (el) pasillo.

4.b. 1- (la) ducha; 2- (la) lámpara; 3- (el) armario; 4- (el) lavabo; 5- (las) cortinas; 6- (la) mesa; 7- (la) alfombra; 8- (el) frigorífico; 9- (la) lavadora; 10- (la) silla; 11- (la) bañera; 12- (el) sofá; 13- (la) cama; 14- (el) microondas; 15- (el) sillón; 16- (la) cocina eléctrica/de gas; 17- (la) mesilla; 18- (el) váter; 19- (el) lavavajillas; 20- (el) espejo.

5. 1- el salón; 2- el comedor; 3- la cocina; 4- el cuarto de baño; 5- el dormitorio.

6. (En) el salón hay/tiene **una lámpara, una mesa, una alfombra, un sofá, un sillón.**
(En) la cocina no hay/no tiene **un microondas, un lavavajillas, un frigorífico, una lavadora.**
(En) el comedor hay/tiene **un mesa, tres sillas, dos lámparas.**

(En) el cuarto de baño no hay/no tiene **un váter, una bañera, una ducha.**
(En) el dormitorio hay/tiene **una cama, dos mesillas, una lámpara, unas cortinas.**

8. 1- (el) euro; 2- (el) nuevo sol; 3- (el) peso; 4- (la) lempira.

10.a. 1. ¿Cuántas lempiras cuesta el lavabo?
Seiscientas veinte lempiras.
2. ¿Cuántas libras cuesta **el sofá**?
Doscientas veintiuna libras.
3. ¿Cuántos **soles** cuesta la lámpara?
Doscientos nueve soles.
4. ¿Cuántos **euros** cuesta **la mesa**?
Doscientos un euros.
5. ¿Cuánto dinero cuesta **la silla?**
Veintiún pesos.

11. 1- Cuántas; 2- Cuántos; 3- Cuántos; 4- Cuántos; 5- Cuántas.

12. 1- ESTÁ al lado de la estación del tren.
2- ES bonito, luminoso, antiguo, pequeño.
3- TIENE dos dormitorios, un baño, un salón
4- EN la cocina HAY un frigorífico, una lavadora, un microondas.
5- TIENE 81 metros cuadrados
6- CUESTA 430 euros.

13.a. **A**- Es/ Está/ Tiene/ hay/ cuesta
B- Es/ está/ Tiene/ Tiene/Hay o tiene/ cuesta

14. 1- V; 2- F; 3- F; 4- V; 5- F

15. A- metros cuadrados
B- baños/balcones
C- barato
D- balcones/baños
E- luz
F- lujoso
G- dormitorios

16.a. 1-B; 2-G; 3-C; 4-A; 5-F; 6-E; 7-D

17.

	EXT/ INT	M ^{2}	¿AMUEBLADO?	EUROS
1	Interior (patio con luz)	150 m^2	Parcialmente (cocina equipada)	650 (gas incl.)
2	——	120 m^2	Parcialmente (cocina equipada)	800 (gas/electricidad incl.)
3	Exterior (parque)	75 m^2	Completamente amueblado (cocina equipada)	450 (gas/electricidad no incl.)
4	Exterior (Gran Vía)	90 m^2	Sin amueblar	460 (gas/electricidad no incl.).

18.a. ¿Es **interior** o **exterior?**
Sí es exterior, **da** a un parque.
¿Cuántos m^2 tiene?
Tiene 90 m^2.
¿Está amueblado?
Sí, pero sólo parcialmente.
¿Y la cocina **está** toda equipada?
Sí, la cocina está toda **equipada.**
¿Cuánto cuesta?
¿Está el gas incluido en el precio?
Son 400 euros al mes. El gas está **incluido.**

19.a. Rosana-C; Raquel-A

20.b. Actividad de respuesta abierta

21. Actividad de respuesta abierta

R.11 (Pág. 123)

1. un piso
2. e. un lavabo
3. a. veintiuna libras; b. ciento diez pesos; c. doscientos un euros; d. trescientas cuarenta lempiras.
4. Mi piso da a una (gran plaza/ plaza grande)
5. a.

L.12 En mi tiempo libre (Pág. 124)

1.b. 1- (los) coches; 2- bailar salsa; 3- (la) música; 4- (los) animales; 5- leer novelas; 6- jugar al fútbol; 7- ver la televisión; 8- charlar con amigos.

3.

	Luci	Laura	Arturo
me gusta/ me interesa/ me encanta	charlar con la gente, ver la tv, leer novelas y revistas, la vida	viajar, leer sobre otras culturas, bailar salsa	jugar al fútbol, ver documentales sobre animales
me gustan/ me interesan/ me encantan	las películas románticas	los países exóticos	los coches

4.a. Actividad de respuesta abierta

b. Actividad de respuesta abierta

5. a/b. 1- practicar yoga (C); 2- hablar español (B); 3- juagr al tenis (F); 4- leer el periódico (I); 5- pasear por el parque (G); 6- tocar un instrumento (H); 7- salir de copas (D); ir de compras (A); escuchar la radio (E).

7. 1-A; 2-D; 3-D; 4-A

8. Actividad de respuesta abierta

9.a.

NOMBRE	NACIONALIDAD	EDAD	PASATIEMPO
Alberto	español	27	el fútbol
Beatriz	argentina	28	ir de compras
Silvia	chilena	32	practicar yoga

9.b. 1- Alberto; 2- Silvia; 3- Beatriz

10.a. A-bailar; B- pasear; C- leer; D- salir; E- escuchar

10.c. A-1; B-3; C-5; D-2; E-4

11. Actividad de respuesta abierta

12.a.

	Le encanta(n)	Le gusta(n)	No le gusta(n) nada
Teresa	bailar	la música	la televisión
Rebeca	salir de copas	ir de compras, charlar con sus	leer las novelas
Juan	los perros	los animales	los gatos
Álvaro	el tenis	los deportes	el yoga

12.b. Actividad de respuesta abierta

13. Actividad de respuesta abierta

R.12 (Pág. 133)

1. Respuesta abierta
2. 1. Jugar: **Ej.** Me gusta jugar al fútbol.
   2. Tocar: **Ej.** En mi tiempo libre toco el piano.
3. Respuesta abierta
4. No me gusta nada.
5. b- salir; c- ir; f- jugar

L.13 Cada día (Pág. 134)

2.a. 1. 12.05 pm: Son las doce y cinco del mediodía.
2. 12.45 pm: Es la una menos cuarto del mediodía.
3. 10.00 am: Son las diez de la mañana.
4. 4.20 pm: Son las cuatro y veinte de la tarde.
5. 11.45 pm: Son las doce menos cuarto de la noche.

3. 1- 12.10 pm; 2- 1.15 pm; 3- 6.30 pm; 4- 11.45 am; 5- 10.30; 6- 8.45 am; 7- 9.00 pm

4.b. 1- levantarse; 2- ducharse; 3- desayunar; 4- salir de casa; 5- trabajar; 6- comer; 7- volver a casa; 8- cenar; 9- acortarse

5. 1- levantarse; 2- volver; 3- desayunar; 4- salir; 5- cenar; 6- acostarse; 7- ducharse; 8- trabajar; 9- comer.

6. 1- no; 2- no; 3- sí; 4- sí

7. 1- como; 2- vuelvo; 3- salgo; 4- trabajo; 5- ceno; 6- desayuno; 7- me ducho; 8- me levanto; 9- me acuesto

8. 1- **me** levanto; 2- no **se** afeita; 3- **se** llaman; 4- **te** apellidas; 5- **se** acuestan; 6- **nos** duchamos; 7- **os** acostáis

9.a. 1-C; 2-A; 3-D; 4-B

10. se levanta, sale, trabaja, come, trabaja, vuelve, cena, se acuesta

11.a. 7.30 am, 8.30 am, 9.30 am, 6.00 pm, 7.00 pm, 7.30 pm, 11.00 pm

12.a. 1-c; 2-b; 3-d; 4-f; 5-e; 6-a

14.a. sábado/ domingo

14.b.

sábado	domingo
8.30 am: clase de yoga. **4.00 pm:** doy un paseo por el parque. **5.00 pm:** veo la telenovela. **9.00 - 12.00 pm:** salgo de copas. **12.30 pm:** me acuesto	**9.30 am:** desayuno **10-12.30 am:** juego al tenis. **4.00 pm:** tomo un café... **5.00 pm:** vamos al cine. **9.00 pm:** ceno.

15. luego-3; primero-1; entonces-1; finalmente-2; después-4

15. luego-3; primero-1; entonces-1; finalmente-2; después-4

16. **1.** ¿**Qué** haces los lunes **por** la mañana?
Los lunes por la mañana ________________

2. ¿**A** qué hora te acuestas los sábados?
A las ________________________

3. ¿**A qué hora** cenas aproximadamente?
A las ________________________

4. ¿Qué hora **es** en España ahora?
Es la/son las ____________________

5. ¿**Qué** haces los miércoles a las 5 **de la** tarde?
Los miércoles a las 5 de la tarde ________
____

17. Actividad de respuesta abierta

18. 1- Los españoles comen sobre las dos o tres del mediodía.
2- Come frecuentemente en casa.
3- La cena consiste en algo ligero y fruta.
4- Los españoles se acuestan casi siempre tarde, nunca antes de las once.

19. 1- normalmente; 2- a menudo; 3- siempre; 4- nunca; 5- generalmente; 6- a veces; 7- frecuentemente

20. Actividad de respuesta abierta

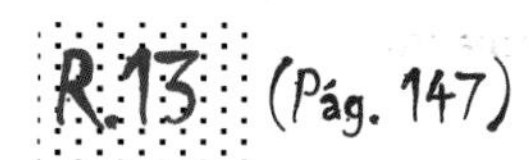

1. 1- Es la una y cinco del mediodía.
2- Son las once menos cuarto de la mañana.
3- Son las cuatro y media de la tarde.

2. Respuesta abierta.

3. a- levantarse; b- acostarse

4. sábado y domingo

5. a. A las seis **de la** tarde practico yoga.
b. **Por la** tarde practico yoga.

L.14 ¿Cuál es tu signo? (Pág. 148)

1.b. 1- honesto/a; 2- independiente; 3- obstinado; 4- hablador(a); 5- original; 6- romántico/a; 7- curioso/a; 8- trabajador(a); 9- soñador(a); 10- sensato/a; 11- sensible; 12- apasionado/a; 13- idealista; 14- intelectual; 15- responsable; 16- diplomático/a

2. Actividad de respuesta abierta

3.

	NOMBRE	EDAD	CUMPLEAÑOS	SIGNO
1	Antonia	32	16 de marzo	piscis
2	Andrés	47	1 de diciembre	sagitario
3	Patricia	23	18 de agosto	leo
4	Jaime	25	17 de mayo	tauro

4. Actividad de respuesta abierta

5. **Marisa:** sensible y romántica (piscis)
Paula: intelectual y habladora (géminis)
Carlos: sensato y trabajador (capricornio)
Arturo: apasionada y original (leo)

6. 1- Carlos; 2- Marisa, Paula; 3- Arturo; 4- Arturo; 5- Paula; 6- Carlos; 7- Marisa

7. Actividad de respuesta abierta.

8.

	muy trabajador(a)	bastante responsable	algo original	nada sensato/a
E	✓		✓	
S			✓	✓
M	✓	✓		
O	✓	✓		

9. Actividad de respuesta abierta

R.14 (Pág. 155)

1. Respuesta abierta.
2. 1- un hombre sensato; 2- una mujer sensible
3. Respuesta abierta.
4. Respuesta abierta.
5. Respuesta abierta.

Do you want to practise the language you are learning in this course?

Would you like to start reading in Spanish?

Leamos 1 brings you 14 enjoyable short stories with helpful translations on the page.

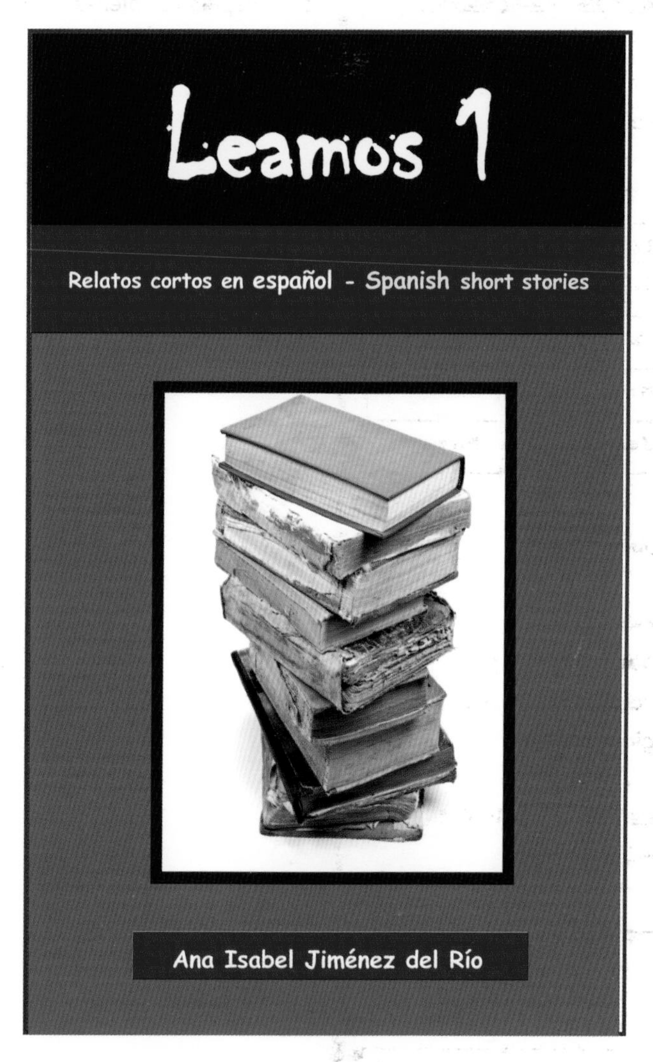

ISBN: 978-0-9573078-1-0

Visit the website for audio versions of selected stories:

www.hablemos.org